Robert Rieg

Kosten- und Leistungsrechnung

2. Auflage

Aufgaben und Lösungen

© 2015/2019 Prof. Dr. Robert Rieg

ISBN: 9783734783494

Herstellung und Verlag: BoD – Books on Demand, Norderstedt

Für Anregungen und Hinweise auf Fehler ist der Autor dankbar.

Kosten- und Leistungsrechnung

Aufgaben und Lösungen

2. Auflage

Prof. Dr. Robert Rieg

Vorwort und Hinweise zur Benutzung

Die Kosten- und Leistungsrechnung ist ein zentrales Führungsinstrument. Sie dient dazu, die Wirtschaftlichkeit von Strukturen, Prozessen und Leistungen zu ermitteln und zu steuern. Da das dominierende Ziel eines Unternehmens der Gewinn ist, sind auch die wesentlichen Entscheidungen im Unternehmen auf Ihre Gewinnwirkung hin zu untersuchen. Die Kosten- und Leistungsrechnung stellt dafür geeignete Instrumente bereit.

Zunächst dient die Beherrschung der wesentlichen kostenrechnerischen Methoden der Berufspraxis. Jene Absolventen haben Vorteile, die solche Instrumente und Werkzeuge beherrschen, sie anwenden und ihre Resultate korrekt interpretieren können. Ein weiterer Effekt ist das Einüben analytischer Fähigkeiten bei der Beurteilung und Lösung betriebswirtschaftlicher Probleme.

Das vorliegende Übungsbuch vereint Aufgaben entlang der üblichen Einteilung der Kosten- und Leistungsrechnung. Es dient zur Vorbereitung auf Prüfungen als auch zum Selbststudium und kann in Vorlesungen und Tutorien eingesetzt werden. Zur Bearbeitung der Aufgaben benötigt man neben den fachlichen Kenntnissen einen einfachen Taschenrechner.

Ich freue mich, wenn das Übungsbuch auf reges Interesse stößt. Sollten Studierende daraus ein besseres Verständnis der Thematik erhalten, bessere Leistungen im Studium erzielen und im Berufsleben reüssieren, so hat es seinen Zweck erfüllt und seinen Nutzen gestiftet.

Aalen, Juni 2019

Robert Rieg

A. AUFGABEN

1 Kostenartenrechnung

1.1 Interfruit AG A

Die Interfruit AG möchte ihre Kostenrechnung erweitern und plant die Einführung kalkulatorischer Zinsen. *Controlletti* erhält den Auftrag, probeweise diese zu ermitteln. Ihm stehen folgende Daten zur Verfügung:

Anlagegüter		Kalkulatorischer Buchwert zum 1.1.2001 [EUR]	Kalkulatorische Abschreibungssätze auf den kalk. Buchwert linear [%]
Bebaute Grundstücke		1.200.000	5
Maschinenpark		2.700.000	15
Betriebs- und Geschäftsausstattung		820.000	10
Fuhrpark		375.000	20

Das Unternehmen besitzt derzeit ein Wertpapierpaket im Wert von 100.000,- EUR. Das durchschnittlich gebundene Umlaufvermögen setzt sich aus Rohstoffbeständen von 350.000,- EUR, Halb- und Fertigprodukten von 1.030.000,- EUR, Forderungen von 710.000,- EUR und Zahlungsmitteln von 266.000,- EUR zusammen. Von den Lieferantenkrediten sind 509.000,- EUR als zinslos anzusehen. Kunden haben Anzahlungen in Höhe von 63.000,- EUR geleistet. In den bebauten Grundstücken ist ein Mietshaus im Wert von 480.000,- EUR enthalten.

a) Ermitteln Sie die kalkulatorischen Zinsen. Gehen Sie dabei von einem Zinssatz von **9%** aus.

b) Erläutern Sie den Zweck kalkulatorischer Zinsen. Halten Sie kalkulatorische Zinsen aus betriebswirtschaftlichen Gründen für sinnvoll?

2 Kostenstellenrechnung

2.1 Treppenumlageverfahren

2.1.1 Cloé et Chanson A

Im polnischen Zweigwerk „Katowice" von Cloé et Chanson soll *Louis* eine Kostenstellenrechnung einführen. Das Zweigwerk, das vor allem Wodka herstellt, ist in drei Hauptkostenstellen und drei Hilfskostenstellen untergliedert. Sie finden nachfolgend Informationen zu den primären Stellenkosten, dem Leistungsaustausch und festen Verrechnungspreisen für die Hilfskostenstellen:

Zweigwerk Kattowice						
	Hilfskostenstellen			Hauptkostenstellen		
Kostenstelle	K1	K2	K3	K4	K5	K6
Primärkosten	2.500,00 €	5.000,00 €	1.500,00 €	20.000,00 €	4.000,00 €	6.000,00 €
Leistungs- austausch an						
von						
K1	200	100	200	1000	300	100
K2	10	10	60	500	30	70
K3	5	50	25	100	40	5
Verrechnungspreise	1,50 €	6,00 €	10,00 €			

a) Führen Sie eine innerbetriebliche Leistungsverrechnung mit dem **Deckungsumlageverfahren** durch. Verwenden Sie dazu die angegebenen Verrechnungspreise. Eine eventuelle Deckungsumlage ist auf die Hauptkostenstelle im Verhältnis der bis dahin aufgelaufenen Kostenstellenkosten zu verteilen.

b) *Louis* hält nicht viel von diesem Verfahren der Kostenstellenrechnung. Er möchte lieber das Treppenumlageverfahren durchführen. Ermitteln Sie die **Reihenfolge** der Hilfskostenstellen im **Treppenumlageverfahren**.

2.1.2   Schentler Ges.m.b.H. A

Ignaz Semmelweiss ist Controller der österreichischen Schentler Ges.m.b.H. Er möchte im Zweigwerk Dornbirn die Eignung des bisherigen Verfahrens zur Kostenstellenrechnung überprüfen. Das Verfahren ist bisher wie folgt:

- Im Herbst jeden Jahres werden auf Basis der bisherigen Kosten der Vorjahre Plankostensätze für die innerbetrieblichen Leistungen ermittelt. So bspw. 2,- EUR für eine Leistungseinheit, die die Kostenstelle K1 erbringt.

- Während des laufenden Jahres werden monatlich auf Basis der Ist-Leistungsbeziehungen die Leistungsverrechnungen durchgeführt. Hierzu verwendet man das Deckungsumlageverfahren.

Ignaz Semmelweiss hat folgende Daten für Januar 2010 zusammengetragen:

Januar 2010	Zweigwerk Dornbirn				
	Hilfskostenstellen			Hauptkostenstellen	
Kostenstelle	K1	K2	K3	K4	K5
Ist-Primärkosten	3.000 €	5.000 €	2.000 €	20.000 €	10.000 €
Ist-Leistungs-austausch an					
von					
K1	200	100	200	1000	300
K2	10	10	60	500	30
K3	10	50	25	100	40
Plan-Verrechnungspreise	2,00 €	6,00 €	10,00 €		

a) Ermitteln Sie über das **Verfahren der Deckungsumlage** die gesamten Gemeinkosten der beiden Hauptkostenstellen K4 und K5 nach Verrechnung. Verteilen Sie eine ggf. entstehende Deckungsumlage nach der Höhe der bisherigen Gemeinkosten. Ignaz hält das Verfahren noch für zu aufwändig und möchte mit denselben Grunddaten eine **Blockumlage** auf Basis der Istkosten durchführen.

b) Ermitteln Sie ebenfalls die gesamten Gemeinkosten der beiden Hauptkostenstellen K4 und K5 nach Verrechnung, jedoch über das

Blockumlageverfahren.
Berechnen Sie weiterhin die **Differenz zwischen den beiden Ergebnissen** für die Kostenstellen K4 und K5 sowie die Summe dieser Differenzen.

c) *Ignaz* denkt, er habe damit eine Planung und Kontrolle der Leistungsverrechnung aufgebaut, in dem er für die Deckungsumlage Planverrechnungssätze nimmt und anschließend mittels Blockumlage die Istkosten verrechnet. Die Differenz je Kostenstelle hält er für eine Plan-Ist-Abweichung.

Stimmen Sie dem zu oder wie interpretieren Sie diese Berechnungen?

2.1.3 Kästner Ski AG A

Das Unternehmen Kästner Ski AG möchte in seinem Zweigwerk in Mittersill, Österreich, die Kostenrechnung verbessern. Als erster Schritt soll die interne Leistungsverrechnung eingeführt werden. Das Zweigwerk ,Mittersill' ist in fünf Hilfskostenstellen und drei Hauptkostenstellen gegliedert.

Interne Leistungsverflechtung Kästner Ski Zweigwerk Mittersill									
an		Hilfskostenstellen (HKST)					Hauptkostenstellen		
							I	II	III
									Verwaltung
von	Einheit	HKST 1	HKST 2	HKST 3	HKST 4	HKST 5	Fertigung	Fertigung	u. Vertrieb
HKST 1	[m³]	**7.000**	200	0	0	0	4.500	1.300	1.000
HKST 2	[kWh]	12.000	**80.000**	30.000	7.000	4.000	17.000	8.000	2.000
HKST 3	[%]	10		**100**			60	10	20
HKST 4	[t]	500	100		**4.000**		1.200	1.400	800
HKST 5	[h]	400	300		300	**2.500**	500	700	300
Primäre Stellenkosten		2.500 €	4.000 €	12.000 €	3.400 €	29.400 €	- €	- €	5.000 €
					Einzelkosten		15.000 €	7.000 €	

Die fett und kursiv gedruckten Zahlen sind die jeweiligen Gesamtleistungsmengen der Hilfskostenstellen.

a) Führen Sie eine innerbetriebliche Leistungsverrechnung mit dem **Treppenumlageverfahren** (Stufenleiterverfahren) durch. Bestimmen Sie dazu zunächst die optimale Reihenfolge der Abrechnung der einzelnen Hilfskostenstellen.

2.2 Gleichungsverfahren

2.2.1 Cloé et Chanson B

Das polnische Zweigwerk „Kattowice" des Spirituosenkonzerns Cloé et Chanson hat bisher zur internen Leistungsverrechnung das Deckungsumlage-Verfahren verwendet. Der neue Controller möchte jedoch ein neues Verfahren anwenden.

Das Zweigwerk, das vor allem Wodka herstellt, ist in drei Hauptkostenstellen und drei Hilfskostenstellen untergliedert. Sie finden nachfolgend Informationen zu den primären Stellenkosten und dem Leistungsaustausch zwischen den Kostenstellen:

Zweigwerk Kattowice						
	Hilfskostenstellen			Hauptkostenstellen		
Kostenstelle	K1	K2	K3	K4	K5	K6
Primärkosten	2.500,00 €	5.000,00 €	3.000,00 €	20.000,00 €	4.000,00 €	6.500,00 €
Leistungs- austausch an						
von						
K1	200	100	200	1000	300	200
K2	10	100	0	500	20	70
K3	50	500	250	100	40	60

a) Ermitteln Sie über das **mathematische Verfahren** (Gleichungsverfahren) die Verrechnungssätze für die Kostenstellen K1, K3, K3 sowie die gesamten Kosten nach Verrechnung der Kostenstellen K4, K5 und K6.

b) Angenommen, die eben errechneten Kostensätze wären am Ende 2008 für das kommende Planjahr 2009 ermittelt worden. Nehmen Sie weiter an, während des Jahres 2009 könnten die Kostenstellen K1 und K2 nur 1800 respektive 500 Leistungseinheiten erbringen. Würde sich dadurch die Berechnung der Kostensätze ändern? Bitte begründen Sie Ihre Ansicht.

2.2.2 Laber-Rastell GmbH

Marvin Kaymer möchte die interne Leistungsverrechnung der Füllerproduktion der Laber-Rastell GmbH neu aufbauen. Er findet folgende Daten vor.

	Vorkostenstellen			Endkosten-stelle		
	A	B	C	D		
	Tinten-produktion	Minen-vergoldung	Verpackung	Montage Füller	Summen	Einheit
Einzelkosten				50.000 €	50.000 €	[EUR]
Primäre Gemeinkosten	18.000,00 €	10.000,00 €	15.000,00 €	85.000,00 €	128.000 €	[EUR]
Leistungsverflechtung	an					
von A	0	200	500	800	1.500	[ME]
B	50	50	0	200	300	[ME]
C	500	500	250	2.000	3.250	[ME]

Sein Chef möchte gerne ein möglichst einfaches Verfahren, während *Marvin* für ein exaktes Verfahren plädiert. Sie beschließen daher, sowohl das Treppenumlage- als auch das mathematische Verfahren (Gleichungsverfahren) auszuprobieren und den Fehler des ersten Verfahrens zu berechnen.

a) Führen Sie eine interne Leistungsverrechnung mit dem **Treppenumlageverfahren** durch. Ermitteln Sie dazu zunächst die **Reihenfolge der Verrechnung**.

b) Führen Sie nun eine interne Leistungsverrechnung mit dem **mathematischen Verfahren** durch.

c) Berechnen Sie den **Fehler je Kostenstelle** des Treppenumlageverfahrens in EURO dadurch, dass Sie die verrechneten Kosten je Kostenstelle in beiden Verfahren ermitteln. Die verrechneten Kosten ergeben sich als Verrechnungssatz multipliziert mit abgegebenen Mengen.

Marvin ist der Ansicht, das mathematische Verfahren ist auch objektiv das richtige Verfahren. Stimmen Sie ihm zu?

2.2.3   K Bum Ltd.

Hop Sing arbeitet bei K Bum Ltd., einem Hersteller von Feuerwerkskörpern. Die Produkte durchlaufen unterschiedliche Abteilungen des Unternehmens, bis sie schließlich verpackt und versandt werden. Anbei finden Sie die bisherigen Kostenstellendaten:

	Vorkostenstellen			Endkostenstellen		
	KST1	KST2	KST3	KST4	KST5	
	Pulverwerkstatt	Knall- und Farbeffekte	Verpackung	Versand Inland	Versand Ausland	Summen
Einzelkosten				150.000 €	200.000,00 €	350.000 €
Primäre Gemeinkosten	20.000,00 €	25.000,00 €	30.000,00 €	105.000,00 €	90.000,00 €	270.000 €
Leistungsverflechtung an						
von KST1	0	200	500	800	2.000	3.500
KST2	50	50	0	200	500	800
KST3	500	500	250	2.000	1.500	4.750

a)   Führen Sie für *Hop Sing* eine Leistungsverrechnung mit dem **mathematischen Verfahren** (Gleichungsverfahren) durch. Ermitteln Sie auch die Summe aus primären und sekundären Kosten jeder Kostenstelle.

2.2.4 Shocter & Tramble A

Dextra Süß soll für den Waschmittelhersteller Shocter & Tramble (S & T) die interne Leistungsrechnung durchführen. Bisher wird dazu das Blockumlageverfahren verwendet. Sie findet folgende Angaben über die Hilfskostenstellen (HKST) und Hauptkostenstellen vor.

Interne Leistungsverflechtung S&T										
							Hauptkostenstellen			
an		Hilfskostenstellen (HKST)				I	II	III	IV	
								Material-	Verwaltung	
von	Einheit	HKST A	HKST B	HKST C	HKST D	Fertigung 1	Fertigung 2	wirtschaft	u. Vertrieb	
HKST A	[m²]	*5.000*	150	10	10	0	2.500	1.330	1.000	
HKST B	[kWh]	8.500	*57.000*	10.000	7.000	4.500	17.000	8.000	2.000	
HKST C	[%]	5	10	*100*	10	45	10	10	20	
HKST D	[kg]	400	100	100	*3.800*	200	1.000	1.400	800	
Primäre Stellenkosten		2.500 €	4.000 €	12.000 €	3.400 €	29.400 €	14.000 €	2.500 €	25.000 €	
			Fertigungsstunden:			2.239	12.500			
			Einzelkosten			100.000 €	15.000 €	70.000 €		
							Fertigungs-			
Bezugsbasis für Zuschlagskalkulation						Einzelkosten	stunden	Einzelkosten	Herstellkosten	

Fett und kursiv angegebene Zahlen sind die Gesamtsummen der Leistungsabgabe einer Hilfskostenstelle

Die fett und kursiv angegebenen Zahlen stellen die Gesamtsumme der Leistungsabgabe der jeweiligen Hilfskostenstelle dar!

a) Führen Sie eine innerbetriebliche Leistungsverrechnung mit dem **Blockumlageverfahren** durch.

b) Ermitteln Sie ausgehend von den Ergebnissen aus Aufgabe a) die **Zuschlagssätze** für die vier Hauptkostenstellen.

c) *Dextra* kann sich noch dunkel erinnern, dass das Blockumlageverfahren nicht das genaueste Verfahren ist. Ihr Kollege *Gernot Nau* behauptet, dass nur das mathematische Verfahren zu richtigen Ergebnissen führe. Sie ist sich da nicht so sicher. Stellen Sie für *Dextra* ein **lineares Gleichungssystem** für die Hilfskostenstellen auf, mit denen das mathematische Verfahren durchzuführen wäre. Nehmen Sie weiterhin zur Ansicht von *G. Nau* Stellung.

3 Kalkulation (Kostenträgerstückrechnung)

3.1 Zuschlagskalkulation

3.1.1 Klein GmbH

Helga Feddersen ist die neue Leiterin des Rechnungswesens des Bohrmaschinenherstellers Klein GmbH in Aurich. Sie möchte für die verschiedenen Produkte eine neue Zuschlagskalkulation einführen. Dazu hat sie zunächst alle relevanten Einzel- und Gemeinkosten zusammengestellt. Bei der Frage, welche Zuschlagsbasen und Zuschlagssätze angewandt werden sollen, hat sie zwei mögliche Alternativen gefunden und in der unten stehenden Tabelle aufgeführt. Für das Jahr 2011 plant sie mit einer gesamten Produktionsmenge von **12.000** Bohrern, von denen aus Erfahrung **10.000** Stück verkauft werden dürften.

Klein GmbH		Planwerte 2011				
Kostenstelle		Einkauf	Dreherei	Endmontage	Verwaltung	Vertrieb
Einzelkosten		3.270.000 €	1.800.000 €	1.130.000 €	- €	- €
Gemeinkosten		654.000 €	320.000 €	452.000 €	300.000 €	240.000 €
Alternative 1 für die Berechnung der Zuschlagssätze						
Bezugsgröße		Material-Einzelkosten	Fertigungs-stunden [h]	Fertigungs-gewicht [kg]	Herstellkosten des Umsatzes	Herstellkosten des Umsatzes
Planmenge		3.270.000 €	32.000	90.400	?	?
Zuschlagssatz:		?	?	?	?	?
Alternative 2 für die Berechnung der Zuschlagssätze						
Bezugsgröße		Produktions-menge [Stck]	Fertigungs-löhne [€]	Produktions-menge [Stck]	Verkaufs-menge [Stck]	Verkaufs-menge [Stck]
Planmenge		?	1.800.000 €	?	?	?
Zuschlagssatz:		?	?	?	?	?

Beispielhaft möchte sie die Kalkulation für zwei Bohrmaschinen durchführen. Sie stellt in Zusammenarbeit mit dem Vertrieb folgende Planwerte zusammen:

Klein GmbH Plan 2011	Produkt B1	Produkt B2	Einheit
Materialkosten	408,75 €	204,375 €	[€/Stck]
Fertigungslöhne Dreherei	240,00 €	105,00 €	[€/Stck]
Fertigungsstunden Dreherei	4,00	2,00	[h/Stck]
Fertigungsgewicht Endmontage	6,00	8,30	[kg/Stck]
Fertigungslöhne Endmontage	140,00 €	71,25 €	[€/Stck]

	Produkt B1	Produkt B2	Einheit
Verkaufspreis	1.200,00 €	600,00 €	[€/Stck]
Verkaufsmenge	4.000	8.000	[Stck]

Von diesen Bohrern werden alle produzierten auch verkauft werden.

a) Berechnen Sie die **Zuschlagssätze für beide Alternativen**!

b) Berechnen Sie die **Selbstkosten je Stück** für die beiden Produkte **B1** und **B2** ebenfalls nach den **beiden Alternativen**!

c) Ermitteln Sie den **Gesamtgewinn** und **Stückgewinn** für **B1** und **B2** je **Alternative**. Helga überlegt, welche Rechnung und welche Werte denn nun die richtigen sind. Was meinen Sie?

3.1.2 Meditec AG A

Karla Kolumna ist neue Controllerin des Medizingeräteherstellers Meditec AG. Ihre erste Aufgabe ist es, den Markterfolg für zwei Produkte zu kalkulieren.

Istdaten 2009	Material-Kostenstellen		Fertigungskostenstellen			Verwaltungs-kostenstelle	Vertriebs-kostenstelle	
	MST 1	MST 2	FST 1	FST 2	FST 3			Summe:
Gemeinkosten:	55.000 €	36.500 €	75.000 €	120.000 €	45.000 €	160.080 €	80.040 €	571.620 €
Zuschlagsbasis:	Fertigungsmaterial [€]		Fertigungszeit [h]		Fertigungs-löhne [€]	Herstellkosten [€]		
Betrag	?	?	3.000	2.400	18.000 €	?		

Kalkulationsdaten 2009	Einheit:	Produkt A	Produkt B
Fertigungsmaterial über MST 1	[€/Stück]	50 €	75 €
Fertigungsmaterial über MST 2	[€/Stück]	25 €	60 €
Fertigungslöhne in FST 1	[€/Stück]	40 €	75 €
Fertigungslöhne in FST 2	[€/Stück]	30 €	- €
Fertigungslöhne in FST 3	[€/Stück]	40 €	60 €
Erlöse je Stück	[€/Stück]	540 €	720 €
Fertigungszeit in FST 1	[h/Stück]	1,5	2,0
Fertigungszeit in FST 2	[h/Stück]	1,4	0,0
Fertigungszeit in FST 3	[h/Stück]	2,0	3,2
Herstellmenge pro Jahr	[Stück]	2.500	2.000

Weiterhin fallen für B Sondereinzelkosten der Fertigung von 17,50 € je Stück an. Die Sondereinzelkosten des Vertriebs betragen für A: 20,- € je Stück und für B: 30,- € je Stück.

a) Ermitteln Sie die **Stückerfolge und die Umsatzrendite je Stück** der beiden Produkte.

Hinweis: Zunächst sollten Sie dazu die Zuschlagssätze für die sieben Kostenstellen ermitteln. Für beide Produkte sind dieselben Zuschlagssätze und dasselbe Kalkulationsschema anzuwenden.

Da eines der Produkte nicht die geforderte Umsatzrendite von 10 % erreicht, schlägt der Vertriebsleiter *Kana Ahnung* vor, das Produkt künftig nicht mehr anzubieten. Er ist der Ansicht, der Gewinn des Unternehmens würde dadurch steigen. *Karla* ist sich da nicht so sicher.

b) Ermitteln Sie überschlägig rechnerisch die Auswirkung einer Einstellung des betreffenden Produkts auf den Unternehmensgewinn auf Basis der Daten 2009. Alle Produkte wurden 2009 im Übrigen verkauft.

Welchen Denkfehler macht der Vertriebsleiter vermutlich?

3.1.3 Zweistein & Cie GmbH A

Zweistein & Cie kalkuliert seine Produkte bisher nach einer einfachen Kalkulation mit Äquivalenzziffern. *Susi Frölich* findet deren Ergebnisse jedoch fragwürdig und möchte bei den beiden Produkten P1 und P2 eine differenzierte Zuschlagskalkulation anwenden. Sie finden nachfolgend die Hochrechnung für das Jahr 2006.

Hochrechnung 2006	Material-Kostenstellen		Fertigungskostenstellen			Verwaltungs-kostenstelle	Vertriebs-kostenstelle	Summe:
	MST 1	MST 2	FST 1	FST 2	FST 3			
Gemeinkosten:	50.000 €	25.000 €	120.000 €	150.000 €	60.000 €	54.000 €	86.400 €	545.400 €
Zuschlagsbasis:	Fertigungsmaterial [€]		Fertigungszeit [h]		Fertigungs-löhne [€]	Herstellkosten [€]		
Betrag	?	?	3.000	2.400	18.000 €	?		

Kalkulationsdaten 2006	Einheit:	Produkt P1	Produkt P2
Fertigungsmaterial über MST 1	[€/Stück]	50 €	75 €
Fertigungsmaterial über MST 2	[€/Stück]	25 €	60 €
Fertigungslöhne in FST 1	[€/Stück]	40 €	75 €
Fertigungslöhne in FST 2	[€/Stück]	30 €	- €
Fertigungslöhne in FST 3	[€/Stück]	40 €	60 €
Erlöse je Stück	[€/Stück]	680 €	680 €
Fertigungszeit in FST 1	[h/Stück]	1,5	2,0
Fertigungszeit in FST 2	[h/Stück]	1,4	0,0
Fertigungszeit in FST 3	[h/Stück]	2,0	3,2
Herstellmenge pro Jahr	[Stück]	2.500	2.000

Weiterhin fallen für P2 Sondereinzelkosten der Fertigung von 17,50 € je Stück an. Die Sondereinzelkosten des Vertriebs betragen für P1: 20,- € je Stück und für P2: 40,- € je Stück.

a) Ermitteln Sie die **Stückerfolge** der beiden Produkte.

Hinweis: Zunächst sollten Sie dazu die Zuschlagssätze für die sieben Kostenstellen ermitteln. Für beide Produkte sind dieselben Zuschlagssätze und dasselbe Kalkulationsschema anzuwenden.

b) Überrascht stellt *Susi* fest, dass ein Produkt Verluste bringt. Der Vertriebsleiter des Unternehmens ist *Rudi Ratlos*. Er empfiehlt, einfach die Preise zu erhöhen. *Susi* ist entsetzt und weist ihn darauf hin, dass bei höheren Preisen viele Kunden abspringen werden. *Rudi* kramt eine alte Marktstudie aus in der es heißt: Bei einem Preis von 730,- EUR werden 100 Stück weniger verkauft. Ermitteln Sie für *Susi* die **Preiselastizität** der Nachfrage für das betreffende Produkt. Sollten die Preise erhöht werden?

3.1.4 Mär-Clean AG

Der Unternehmer *Rudi Redlich* stellt mit der Mär-Clean AG in Herzogenaurach zwei verschiedene Spielzeugeisenbahnen „Amtrak" (P1) und „Krokodil" (P2) her. Die Produktion wird von dem erfahrenen Meister *Hans Strebsam* überwacht. In der folgenden Tabelle sind einige wichtige Erlös- und Kosteninformationen zusammengefasst:

	Einheit	Produkte	
		P1: "Amtrak"	P2: "Krokodil"
Preis je Stück	[€/Stück]	260	260
variable Materialkosten	[€/Stück]	70	140
Akkordlöhne	[€/Stück]	80	40
Materialgemeinkosten	[€]	2.800 €	
Gehalt Meister Strebsam	[€]	26.000 €	

Redlich kann jedoch nur zwischen zwei Produktionsprogrammen wählen, A1 oder A2:

Produktionsmengen von		Produktionsalternativen	
		A1	A2
P1: "Amtrak"	[Stück]	200	100
P2: "Krokodil"	[Stück]	100	200

Rudi Redlich ist als alter Hase ein Anhänger von Vollkostenrechnungen und misstraut so neumodischen Dingen wie Deckungsbeitragsrechnung o.Ä. grundsätzlich. Zur Ermittlung der Vollkosten je Stück nutzt er die Zuschlagskalkulation mit Zuschlägen für Material- bzw. Fertigungs-Gemeinkosten.

a) Welche Alternative sollte *Rudi Redlich* vorziehen? Um welchen Betrag ist sie günstiger als die andere Alternative?

b) Bestimmen Sie die Stück-Vollkosten der beiden Produkte unter Verwendung der Zuschlagskalkulation. Bestimmen Sie sie getrennt für die beiden Alternativen A1 und A2. Welche Alternative wäre jetzt günstiger? Führt diese Vorgehensweise zur Gefahr von Fehlentscheidungen?

c) Sein kaufmännischer Assistent *Dieter Oof* weist *Redlich* darauf hin, dass ein Vorgehen wie unter b) viel zu aufwändig sei. Er schlägt vor, die Alternative 2 als Basisalternative zu verwenden und die beiden Alternativen anhand der so ermittelten Vollkosten zu bewerten. Führt diese Vorgehensweise zur Gefahr einer Fehlentscheidung?

d) *Redlich* entscheidet sich schließlich für Alternative 1. Sein Assistent *D. Oof* kommt begeistert von der Spielwarenmesse zurück und berichtet, dass man ein zu P1 identisches Produkt zu einem Stückpreis von € 190,- fremdbeziehen könnte und meint: „Chef, da können wir einen sauberen Schnitt machen und eine Menge Geld sparen!". Welche Auswirkungen hätte eine solche Entscheidung auf die Kosten- und Erfolgssituation von *Redlich*, wenn er 200 Stück fremd bezieht?

3.2 Äquivalenzziffernkalkulation

3.2.1 Malfrutta GmbH

Das Unternehmen Malfrutta GmbH stellt verschiedene, hochwertige Marmeladensorten her. Diese unterscheiden sich in den verwendeten Fruchtsorten, deren Mischungsverhältnisse als auch in der Verpackung. Auch bei der Zubereitung gibt es Unterschiede, so dass das Unternehmen aus Komplexitätsgründen keine differenzierende Zuschlagskalkulation anwenden kann. Die Controllerin *Dextra Süß* versucht daher eine Äquivalenzziffernkalkulation aufzubauen. Sie hat zunächst einige Daten zu den Produkten gesammelt (siehe unten), weiß allerdings jetzt nicht mehr weiter. „Es wäre halt doch besser gewesen, wenn ich öfter in die Vorlesung gegangen wäre ...", denkt sie sich im Stillen.

Sie finden im Folgenden Angaben zur Berechnung von Äquivalenzziffern. Die Kosten der Marmelade selbst richten sich nach dem Fruchtgehalt. Je höher dieser ist, umso teuer sind die eingehenden Rohstoffe. Die Kosten der Verpackung richten sich im Wesentlichen nach der bedruckten Papierfläche je Glas – je mehr Fläche, desto teurer. Die sonstigen Herstellkosten hängen von der Maschinennutzung ab, auch hier gilt, je länger eine Maschine genutzt wird, desto teurer ist die Marmeladensorte.

Malfrutta GmbH	Basis für die Äquivalenzziffern			
	Marmelade	Verpackung	Sonstige Herstellkosten	Herstellmenge
Marmeladen-sorte	Fruchtgehalt [%]	Bedruckte Fläche [cm²]	Durchlauf-zeit [Min]	[Gläser]
A	33	21	4,0	17.000
B	18	21	4,5	12.000
C	39	21	2,0	50.000
D	24	21	6,0	61.000
E	48	35	9,0	24.000
F	60	35	8,0	25.000

Malfrutta GmbH - Kostendaten	
Kostenart	Betrag [€]
Früchte	210.000 €
Gelierzucker	56.000 €
Konservierungsstoffe	30.000 €
Geschmacks-verfeinerungsstoffe	23.340 €
Gläser	40.100 €
Etiketten	7.500 €
Kartons	5.600 €
Löhne	145.000 €
Lagerkosten	30.000 €
kalkulatorische Abschreibung	126.200 €

Zur Ermittlung der Kosten der drei Aspekte (Marmeladeninhalt, Verpackung, sonstige Kosten) finden Sie daneben eine entsprechende Sammlung von Kostenarten.

a) Ermitteln Sie für *Dextra* über eine **Äquivalenzziffernkalkulation** die Herstellkosten je Glas bzw. insgesamt für die einzelnen Sorten.

b) *Dextra* vergleicht die Kosten der Sorten A und B mit den Nettoverkaufspreisen. Beide werden zu 3,- EUR je Glas verkauft. Schnell rennt sie zu Ihrem Vorgesetzten und teilt ihm mit: „Chef, Chef, bei Sorte A haben wir einen negativen Deckungsbeitrag! Da sollten wir sofort die Produktion einstellen!" Ihr Chef glaubt ihr aus Erfahrung nicht so ganz. Nehmen Sie hierzu Stellung.

3.2.2   Interbière S.A.

Das belgische Unternehmen Interbière S.A. stellt verschiedene Spezialbiere her. Diese unterscheiden sich in den verwendeten Zutaten, deren Mischungsverhältnisse als auch in der Verpackung. Auch bei der Zubereitung gibt es Unterschiede, so dass das Unternehmen aus Komplexitätsgründen keine differenzierende Zuschlagskalkulation anwenden kann. Die Controllerin *Angelina Molie* versucht daher eine Äquivalenzziffernkalkulation aufzubauen. Sie hat zunächst einige Daten zu den Produkten gesammelt (siehe unten), weiß allerdings jetzt nicht mehr weiter.

Sie finden im Folgenden Angaben zur Berechnung von Äquivalenzziffern. Die Kosten der Biersorten selbst richten sich nach dem Hopfengehalt. Je höher dieser ist, umso teuer sind die eingehenden Rohstoffe. Die Kosten der Verpackung richten sich im Wesentlichen nach der bedruckten Papierfläche je Flasche – je mehr Fläche, desto teurer. Die sonstigen Herstellkosten hängen von der Maschinennutzung ab, auch hier gilt, je länger eine Maschine genutzt wird, desto teurer ist die Biersorte.

Interbière S.A.	Basis für die Äquivalenzziffern					
	Zutaten	Verpackung	Sonstige Herstellkosten	Herstellmenge		
Marmeladen-sorte	Hopfenanteil [%]	Bedruckte Fläche [cm²]	Durchlauf-zeit [Min]	[Flaschen]		
A	15	21	2,0	17.000		
B	7	21	2,5	12.000		
C	11	21	1,0	50.000		
D	8	21	1,5	61.000		
E	17	35	3,0	24.000		
F	12	35	3,0	25.000		

Interbière S.A. - Kostendaten	
Kostenart	Betrag [€]
Hopfen	210.000 €
Malz	56.000 €
Reis	30.000 €
Geschmacksverstärker	23.340 €
Flaschen	40.100 €
Etiketten	7.500 €
Kartons	5.600 €
Löhne	145.000 €
Lagerkosten	30.000 €
kalkulatorische Abschreibung	126.200 €

Zur Ermittlung der Kosten der drei Aspekte (Zutaten, Verpackung, sonstige Kosten) finden Sie eine entsprechende Sammlung von Kostenarten.

a)   Ermitteln Sie für *Angelina* über eine **Äquivalenzziffernkalkulation** die Herstellkosten je Flasche bzw. insgesamt für die einzelnen Sorten.

b) *Angelina* vergleicht die Kosten der Sorten A und B mit den Nettoverkaufspreisen. Beide werden zu 4,- EUR je Flasche verkauft. Sie überlegt, ob man bei einem Produkt nicht die Produktion einstellen sollte.

Was meinen Sie? Nehmen Sie hierzu Stellung!

3.3 Kuppelkalkulation

3.3.1 Huóbǎo Inc.

Li Si arbeitet als Senior-Controllerin beim Chemieunternehmen Huóbǎo Inc. und erhält die Aufgabe, die Produkte für das abgelaufene Jahr 2008 zu kalkulieren. Mehrere Enderzeugnisse wurden in verschiedenen Kuppelprozessen erzeugt, wie in der nachfolgenden Abbildung ersichtlich.

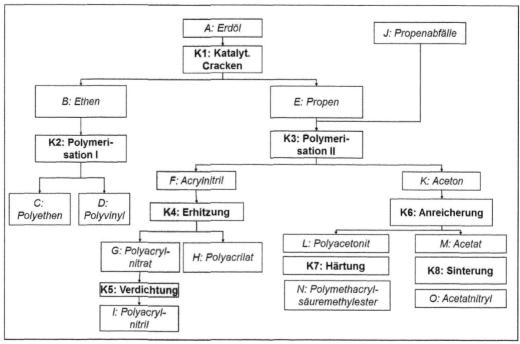

Daneben hat *Li Si* die Kosten und Umsatzdaten für das abgelaufene Jahr zusammengestellt.

Kosten Produktionsprozesse	
Prozess	Kosten
K1	160.000 €
K2	65.000 €
K3	90.000 €
K4	140.000 €
K5	30.000 €
K6	70.000 €
K7	50.000 €
K8	40.000 €

Umsätze der Produkte	
Produkt	Umsatz
C	80.000 €
D	140.000 €
I	60.000 €
H	80.000 €
N	140.000 €
O	200.000 €

Für Propenabfälle fielen Kosten von 55.000 EURO an, für Erdöl 250.000 EURO.

a) Ermitteln Sie die Herstellkosten und Gewinne der Endprodukte mittels der **retrograden Marktwertmethode**.

Hinweis: Sollte bei einem Produkt ein negativer Marktwert entstehen, so verteilen Sie die Kosten der Vorprodukte/-prozesse auf Basis der Absolutbeträge der entsprechenden Marktwerte.

b) *Li Si* erhält Besuch von ihrem früheren Kollegen *Jim Knopf*. Er ist der Ansicht, dass die retrograde Marktwertmethode und die mehrstufige Divisionskalkulation im Grunde dasselbe seien, da bei beiden Verfahren Kosten schrittweise kumuliert werden. *Li Si* ist sich da nicht so sicher, da *Jim* an der Hochschule Lummerland studiert hat, die nicht den allerbesten Ruf genießt.

Nehmen Sie dazu Stellung!

3.3.2   Cloé et Chanson C

Die in Nancy beheimatete Sektkellerei Cloé et Chanson stellt mehrere Schaumweinarten her. Darunter sind Brût, Extra Brût, Doux, Doux Supréme und Cuvée speçiale. Aus den angelieferten Weintrauben werden zusätzlich noch zwei Cidre-Sorten hergestellt. In der Kostenrechnungsabteilung arbeitet *Louis Alcol*. Er erhält die Aufgabe, die Herstellkosten der verschiedenen Produkte zu ermitteln. Da es sich um eine Kuppelproduktion handelt, fragt er seine befreundete Betriebswirtin *Claire Aepsele* um Rat. Hier ist die Produktionsstruktur mit Kürzeln für die einzelnen Vor-, Zwischen- und Endprodukte sowie für die Produktionsprozesse:

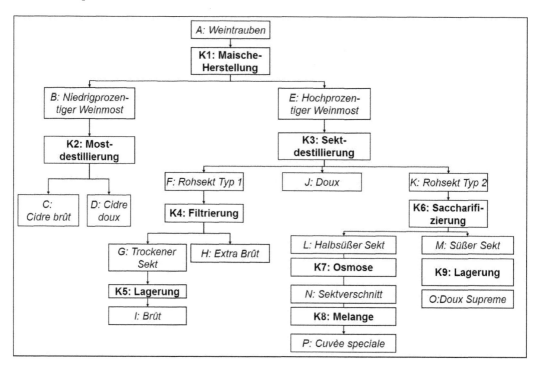

Weiterhin ermittelt *Louis* die Kosten und Umsätze der einzelnen Produktionsprozesse bzw. Produkte im Jahr 2003:

Kosten Produktionsprozesse	
Prozess	Kosten
K1	180.000 €
K2	60.000 €
K3	100.000 €
K4	120.000 €
K5	120.000 €
K6	20.000 €
K7	40.000 €
K8	40.000 €
K9	40.000 €

Umsätze der Produkte	
Produkt	Umsatz
C	80.000 €
D	140.000 €
I	60.000 €
H	160.000 €
J	140.000 €
P	200.000 €
O	180.000 €

Die Kosten für Weintrauben betrugen im Jahr 2003 230.000,- €.

a) Ermitteln Sie die Herstellkosten und Gewinne der Endprodukte mittels der **retrograden Marktwertmethode**. Bitte runden Sie Ihre Ergebnisse auf volle EURO.

   Hinweis: Sollte bei einem Produkt ein negativer Marktwert entstehen, so verteilen Sie die Kosten der Vorprodukte/-prozesse auf Basis der Absolutbeträge der entsprechenden Marktwerte.

b) *Louis* ist wenig erfreut über den geringen wirtschaftlichen Erfolg. Er schlägt vor, die Produktion von Brût einzustellen, um den Gesamtgewinn deutlich zu steigern. *Claire* zweifelt an der Wirksamkeit dieser Maßnahme, da aufgrund des Kuppelprozesses K4 zwangsläufig immer noch das Produkt G entstünde. Dessen Vernichtung kostete bei der jetzigen Produktionsmenge von 800.000 Litern 100.000 €. *François*, der Vetter von *Louis*, betreibt eine Franzbranntweinfabrik und würde die gesamte Produktion von G übernehmen und zu einem Rheumamittel weiterverarbeiten.

   Wie hoch wäre die Preisuntergrenze für einen Liter des Produktes G?

3.3.3   Skol GmbH A

Ali Baba verwendet Tiefseefisch für eine Reihe von Pharmaprodukten, darunter ein Antirheumatikum, das besonders gut an Seniorenheime verkauft wird und ein Mittel zur Steigerung der Konzentration für Studenten. Zur Herstellung der verschiedenen Endprodukte dient eine bereits existierende chemische Anlage. Es handelt sich dabei allerdings um eine Kuppelproduktion. *G. Wieft* erhält den Auftrag aus den nachfolgenden Daten zu ermitteln, ob mit den einzelnen Produkten auch Gewinne erzielt werden. Folgende Abbildung zeigt die Erzeugnisstruktur und Produktionsmengen:

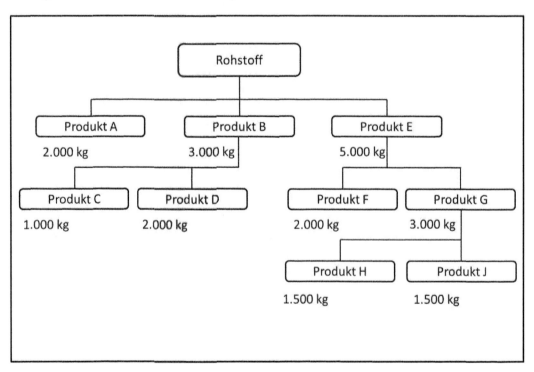

Die **Kosten des Rohstoffs** betragen im Jahr **25.000 €**. Die Produkte B, E, G sind Zwischenprodukte, die vollständig zu den Produkten der weiteren Stufen weiterverarbeitet werden. A, C, D, F, H, J sind verkaufsfähige Endprodukte. Sonstige nicht den einzelnen Produkten zurechenbare **Kosten** der **Kuppelproduktion** sind **20.000 €**.

Weitere Angaben:

	Direkt zurechenbare Kosten je kg: [€/kg]	Erlöse der Endprodukte [€/kg]
Produkte:		
A	4,00 €	10,00 €
B		
C		5,00 €
D	4,50 €	12,00 €
E		
F		8,00 €
G	2,00 €	
H		8,00 €
J	2,00 €	6,00 €

a) Berechnen Sie mit Hilfe der **Marktwertmethode** die Gewinne der verkauften Endprodukte!

b) Wie verändert sich der **Gesamtgewinn**, wenn Produkte D und H als Nebenprodukte betrachtet werden? Begründen Sie Ihre Antwort!

c) *G. Wieft* schlägt vor, die Produktion von C, F, H und J zugunsten der lukrativeren Produkte A und D einzuschränken. Was halten Sie davon?

3.4   Maschinenstundensatzrechnung

3.4.1   Skol GmbH B

Das Unternehmen Skol GmbH verarbeitet Tiefseefisch zu Tierfutter. Aufgrund der steigenden Nachfrage überlegt der Geschäftsführer *Ali Baba*, ob sich die Anschaffung einer vollautomatischen Fischzerkleinerungs- und Abpackanlage KX2000 lohnt. Bei dieser können die angelieferten, tiefgefrorenen Fische und Fischreste automatisch zerkleinert und in handliche Einkilopakete Tierfutter abgepackt werden. Damit einhergehend wäre auch zu überdenken, ob man von einer Einschicht- zu einer Zweischichtproduktion übergeht. *Ali Baba* beauftragt seinen Controller *Gernot Wieft* mit der Kalkulation. Er möchte zunächst die Kosten der Maschinenstunden kalkulieren und plant Folgendes:

		Einheit	**KX2000**
Nutzungsdauer		[Jahre]	5
Anschaffungswert		[EUR]	350.000
Raumbedarf		[m²]	30
Strombedarf		[kWh] je Stunde	5.000
Jährliche Instandhaltung 1-Schichtbetrieb		[EUR]	70.000
Versicherung p.a.		[EUR]	24.000
Jährliche Werkzeugkosten		[EUR]	12.000
Zusätzl. Instandhaltung 2-Schichtbetrieb		50% mehr als bei 1-Schichtbetrieb	
Maschinenstillstandszeit für Wartung p.a.		[h]	200
Wiederbeschaffungswert		20% höher als Anschaffungswert	
Kalk. Zinssatz		[%]	10%
Raumkosten je Monat je m²		[EUR/m²]	5,00
Stromkosten		[EUR/kWh/h]	0,015
Lohnkosten 1-Schichtbetrieb	[EUR/h]	[EUR/h]	15,00
zusätzliche Lohnkosten 2-Schichtbetrieb		[EUR/h]	2,50
Betriebszeit je Schicht: 1-Schicht		[h]	8,00
Betriebszeit je Schicht: 2-Schicht		[h]	7,00
Arbeitstage p.a.		[d]	200,00
	Einschicht	Zweischicht	
Herstellmengen:[kg]	200.000	350.000	
Anzahl Mitarbeiter je Maschine			2

Die Abschreibung wird auf der Basis des Wiederbeschaffungswertes berechnet. Die kalk. Zinsen werden über das durchschnittlich gebundene Kapital berechnet, jedoch ausgehend vom Anschaffungswert. Für die Steuerung und Kontrolle der Maschine werden zwei Mitarbeiter benötigt.

a) Ermitteln Sie über den **Maschinenstundensatz** die Maschinenkosten für ein kg Tierfutter im Einschicht- bzw. Zweischicht-Betrieb.

b) G. *Wieft* möchte auf der Basis der ermittelten Daten auch errechnen, wie viel Tierfutter verkauft werden muss, um in die Gewinnzone zu kommen. Ermitteln Sie auf der Basis der eben errechneten Daten getrennt für den Einschicht- bzw. Zweischicht-Betrieb die **Gewinnschwelle** unter folgenden, weiteren Annahmen:

Variable Kosten sind nur Strom, Werkzeugkosten und Löhne. Der Absatzpreis für Tierfutter beträgt 2,00 € je kg. Allerdings muss im Zweischichtbetrieb aufgrund der größeren Herstellmengen damit gerechnet werden, dass sich die höheren Mengen nur über einen generellen Preisnachlass von 25% verkaufen lassen (gilt für gesamte Absatzmenge).

Lohnt sich ein Wechsel auf den Zweischicht-Betrieb?

3.4.2 Bumbler & Sloven GmbH

Gustav Gans, der Geschäftsführer des IT-Unternehmens Bumbler & Sloven GmbH möchte einen iPad-Konkurrenten auf den Markt bringen. Er befürchtet jedoch, dass die bisherige Zuschlagskalkulation es nicht erlauben wird, akzeptable Preise zu kalkulieren. Daher möchte er Anfang 2011 eine Maschinenstundensatzrechnung aufbauen, um zu erkennen, ob diese es erlauben würde, wettbewerbsfähigere Preise zu kalkulieren. Bisher kalkuliert er seine Preise mit Herstellkosten plus Gewinnaufschlag.

Bisherige Zuschlagskalkulation	Plan 2011	Einheit
MEK	150,00 €	[€/Stück]
MGK	100,00 €	[€/Stück]
FEK	250,00 €	[€/Stück]
FGK	2.500,00 €	[€/Stück]
= HK	**3.000,00 €**	[€/Stück]

Weitere Plan-Informationen	Betrag	Einheit
Gesamte geplante Produktionsmenge:	150,00	[Stück/a]
Arbeitstage	230	[d/a]
Schichten je Arbeitstag	2	[Anzahl/d]
Bearbeitungszeit auf Fertigungsmaschine HC11	15,00	[h/Stück]

Fertigungsmaschine HC11	Betrag	Einheit
Nutzungsdauer	10	Jahre
Anschaffungswert	1.000.000 €	[€]
Raumbedarf	50	[m²]
Strombedarf	2.000	[kWh/Schicht]
Instandhaltungskosten	15.000 €	[€/Quartal]
Versicherungen	25.000 €	[€ p.a.]
Sonstige Hilfs- und Betriebsstoffe	1.000	[€/Monat]
Arbeitstage	230	[d]
Schichten je Tag	2	[Schichten/d]
Arbeitszeit je Schicht	7,5	[h/Schicht]
kalkulatorische Raummiete	10 €	[€/m² und Monat]
Stromkosten	0,1	[€/kWh]
kalk. Zinssatz	10%	[% p.a.]

a) Ermitteln Sie zunächst die **Kosten je Maschinenstunde**. Berechnen Sie dann die **neuen Herstellkosten je Stück** über eine Zuschlagskalkulation unter Berücksichtigung der Maschinenkosten. Beachten Sie dabei, dass die Maschinenkosten nicht alle Fertigungsgemeinkosten ersetzen! Verbleibende Fertigungsgemeinkosten sind anteilig über die Einzelkosten zuzuschlagen.

b) Mitte des Jahres 2011 merkt *Gustav*, dass ihn offenbar sein üblicher Spürsinn für Glück und Erfolg verlässt: Die Verkaufszahlen bleiben deutlich hinter dem Plan zurück. Sein Controller, *Donald Duck*, schlägt vor, die Gemeinkostensätze und Maschinenkosten an die neue Situation anzupassen und somit neue Herstellkosten und Preise je Stück zu ermitteln. *Gustav* ist skeptisch und möchte lieber mit der bestehenden Kalkulation fortfahren.

Welche Wirkung hätte der von *Donald* empfohlene Weg? Welche Vorgehensweise empfehlen Sie?

3.4.3   Zorro S.A. A

José QuantasCostas ist Controller beim spanischen Automobilzulieferer Zorro S.A. Das Unternehmen produziert Sportsitze für verschiedene Pkw-Hersteller. *José* erhält die Aufgabe, die Kalkulation für einen neuen Auftrag durchzuführen. Das Produkt „Barichella" ist für einen italienischen Sportwagen bestimmt. Der Auftrag umfasst 10.000 Stück pro Jahr und soll auf einer gerade in Betrieb genommenen Fertigungszelle X99 produziert werden. Für die Fertigungszelle X99 liegen folgende Daten vor:

Fertigungszelle X99	Betrag	Einheit
Nutzungsdauer	10	Jahre
Anschaffungswert	1.000.000 €	[€]
Raumbedarf	50	[m²]
Strombedarf	2.000	[kWh/Schicht]
Instandhaltungskosten	15.000 €	[€/Quartal]
Versicherungen	25.000,00 €	[€ p.a.]
Sonstige Hilfs- und Betriebsstoffe	1.000	[€/Monat]
Arbeitstage	221	[d]
Schichten je Tag	2	[Schichten/d]
Arbeitszeit je Schicht	7	[h/Schicht]
kalkulatorische Raummiete	10,00 €	[€/m² und Monat]
Ausfallzeiten je Schicht	0,5	[h/Schicht]
Stromkosten	0,1	[€/kWh]
kalk. Zinssatz	10%	[% p.a.]

Zur Kalkulation der Kosten des Auftrags sammelt *José* folgende Informationen:

Daten für Auftragskalkulation Sitz "Barichella"

Kosten Fertigungsmaterial	300,00 €	[€/Stück]
Zuschlagssatz Gemeinkosten Material	50%	[%]
Lohnstundensatz in der Fertigung	30,00 €	[€/h]
Lohnstunden je Sitz	0,5	[h]
Zuschlagssatz Gemeinkosten Fertigung	100%	[%]
Rüstzeit auf Maschine X99	100	[h/Auftrag]
benötigte Maschinenstunden je Stück	0,25	[h/Stück]
Verwaltungs- und Vertriebs-Gemeinkostenzuschlag auf volle HK	25%	[%]

Daten für Angebotskalkulation

Gewinnzuschlag	10%	[%]
Rabattsatz	5%	[%]
Skonto	2%	[%]

a) Ermitteln Sie die **Kosten des gesamten Auftrages**. Errechnen Sie dazu zunächst den Maschinenstundensatz, bevor Sie dann eine Zuschlagskalkulation durchführen.

b) *José* soll aus den obigen Daten den **Angebotspreis insgesamt und je Sitz** ermitteln.

3.4.4   Turbo Maschinenfabrik GmbH

Claudius Aepsele arbeitet für die Turbo Maschinenfabrik GmbH, welche spezielle Turbinenschaufeln für Hochleistungswasserkraftwerke herstellt. Seine erste Aufgabe ist es, anhand einer Maschinenstundensatzrechnung die Vorteilhaftigkeit zweier unterschiedlicher Betriebsmittel zu bewerten. Zur Auswahl steht die hochautomatisierte Fertigungszelle Flexo 1000, sowie die nur teilautomatisierte Fräsmaschine Millcut XP. Folgende Informationen findet er vor:

	Flexo 1000	Millcut XP	
Anschaffungswert	200.000,00 €	30.000,00 €	[€]
Wiederbeschaffungswert	250.000,00 €	40.000,00 €	[€]
Nutzungsdauer	4	5	[Jahre]
Kalk. Zinssatz	10%	10%	[%]
Verwendung	3-Schicht	2-Schicht	
Schichtdauer je Schicht	6	7	[h/Schicht]
Anzahl Mitarbeiter je Schicht	2	4	[Mitarbeiter]
Stromkosten	2.000	1.200	[kWh/Schicht]
Wartungskosten	10.000,00 €	2.000,00 €	[€/Wartung]
Wartungsintervall	1.000	5.000	[Nutzungsstunden]
Raumbedarf	50	20	[m²]
Raumkosten	10,00 €	10,00 €	[€/m²/Monat]
Stillstandszeiten pro Jahr bezogen auf die theoretische Nutzungszeit	20%	10%	

Sonstige Angaben		
Arbeitstage pro Jahr	250	[Tage]
Lohnkosten je Mitarbeiter	60,00 €	[€/h]
Stromkostensatz	0,08 €	[€/kWh]

Hinweise:

- Die Wartungskosten sollten im Sinne einer Durchschnittsbetrachtung berücksichtigt werden, nicht jahresspezifisch.
- Die Abschreibungen sind linear und basieren auf dem Anschaffungswert.

- Die kalkulatorischen Zinsen basieren auf dem Durchschnitt der Wiederbeschaffungswerte.

a) Ermitteln Sie die **Maschinenstundensätze** für beide Maschinen.

b) *Claudius* plant mit einem **Jahresumsatz** von **1,0 Mio. €** für Turbinen. Abgesehen von den obigen Maschinenkosten kalkuliert er noch **300.000,- €** an **variablen Kosten**. Berechnen Sie für *Claudius* auf dieser Basis den **Gesamtdeckungsbeitrag,** sofern das Unternehmen mit Flexo 1000 bzw. mit Millcut XP produzieren würde. *Claudius* sieht sich in seinem Verdacht bestätigt, dass eine der Maschinen Verluste einfährt. Nehmen Sie zu seiner Ansicht kritisch Stellung!

4 Ergebnisrechnung (Kostenträgerzeitrechnung)

4.1 Gesamtkostenverfahren

4.1.1 Rheingau GmbH

Die Geröllsteiner AG produziert in ihrem Tochterunternehmen Rheingau GmbH, Oestrich-Winkel, zwei Trinkwassersprudler. Mit diesen kann man gewöhnliches Wasser mit Kohlensäure versetzen. Die beiden Produkte sind „SodaJet" und „SodaMaster". *Barnie Geröllsteiner* möchte für das Jahr 2007 die Ergebnisrechnung aufstellen. Er findet folgende Daten vor:

Rheingau GmbH 2007	Stückerlös [€/Stück]	Fertigungszeit [Min/Stück]	Fertigungs-menge [Stück]	Absatz-menge [Stück]
SodaJet	23	30	10.000	12.000
SodaMaster	13	20	6.000	5.000

Rheingau GmbH 2007 Kostenarten	Gesamt-kosten		Material-Kostenstelle		Fertigungskostenstelle		Verwaltung und Vertrieb	
	fix	proportional	fix	proportional	fix	proportional	fix	proportional
Fertigungsmaterial für								
... SodaJet		20.000 €						
... SodaMaster		6.000 €						
Fertigungslöhne		105.000 €				105.000 €		
Fertigungs-gemeinkosten	35.000 €	88.000 €			35.000 €	88.000 €		
Lagerkosten	1.300 €	1.300 €	1.300 €	1.300 €				
Verwaltungskosten	10.000 €	8.000 €					10.000 €	8.000 €
Werbung	3.090 €	2.345 €					3.090 €	2.345 €
Verkauf	20.000 €	18.000 €					20.000 €	18.000 €
Zuschlagsbasis:			Fertigungsmaterial		Fertigungszeiten		Herstellkosten	

Hinweise:

- Verwenden Sie zur Berechnung der Bestandsveränderungen die jeweiligen Herstellkosten der Produkte.
- Die Herstellkosten in 2006 waren identisch zu denen des Jahres 2007.

a) Ermitteln Sie zunächst über eine Zuschlagskalkulation die Herstellkosten der beiden Produkte. Berechnen Sie dann das Betriebsergebnis nach dem **Gesamtkostenverfahren** mit **Vollkosten** bzw. mit **Teilkosten**.

b) Zeigen Sie rechnerisch die **Überleitung** vom Betriebsergebnis nach Vollkosten zu dem Betriebsergebnis nach Teilkosten.

4.1.2 Dentofix GmbH A

Marcel Herrera ist neuer Controller der Dentofix GmbH, einem Hersteller von Zahnpasten. Das Unternehmen verwendet bisher zur internen Steuerung eine Deckungsbeitragsrechnung (Umsatzkostenverfahren). *Herrera* erhält die Aufgabe, die interne Ergebnisrechnung probeweise an die externe Ergebnisrechnung nach HGB anzulehnen. Diese ist nach dem Gesamtkostenverfahren aufgebaut. Zusätzlich beinhaltet sie die Aktivierung von Entwicklungsaufwendungen gemäß §248 Absatz 2 HGB. *Marcel Herrera* findet folgende Daten vor:

Dentofix GmbH		Produkte		
Jan 2014		Sensitiv	Rasp	Einheiten
Herstellmenge		25.000	50.000	[Tuben]
Absatzmenge		30.000	40.000	[Tuben]
variable Herstellkosten		0,60 €	0,40 €	[EUR/Tube]
Fixe Herstellkosten		10.000,00 €	11.000,00 €	[EUR/Periode]
Verwaltungs- und Vertriebskosten				
	variabel*	6.000,00 €	8.000,00 €	[EUR/Periode]
	fix	7.000,00 €	9.000,00 €	[EUR/Periode]
Verkaufspreise		1,50 €	1,20 €	[EUR/Tube]

*) Verkaufsprovision

		Produkte		
Herstellkosten Vormonat	Sensitiv	Rasp		
	variabel	0,85 €	0,65 €	[EUR/Tube]
	fix anteilig	0,15 €	0,15 €	[EUR/Tube]
	Summe	1,00 €	0,80 €	[EUR/Tube]

Bis Ende 2013 fielen kumulierte Entwicklungsaufwendungen von **70.080 EUR** für eine neue Zahnpasta mit Nanopartikeln an. Das neue Produkt ist ab 01.01.2014 am Markt. Die aktivierten Entwicklungsaufwendungen sollen auf vier Jahre linear abgeschrieben werden.

a) Erstellen Sie **zwei Betriebsergebnisrechnungen** für das Unternehmen für Januar 2014: 1. nach dem Umsatzkostenverfahren als DB-Rechnung sowie 2. nach dem Gesamtkostenverfahren als Vollkostenrechnung.

DB = Deckungsbeitrag

b) *Marcel Herrera* denkt sich, Unterschiede entstehen hier höchstens durch Rundungsfehler. Sein Kollege *Johan van Gaal* klärt ihn mal wieder auf, dass das nicht stimmt und schlägt vor, eine **Überleitungsrechnung** vom Betriebsergebnis nach 1. zu 2. zu erstellen. Führen Sie dies für *Herrera* durch und erläutern Sie sie.

4.1.3 Zweistein & Cie GmbH B

Controllerin *Susi Frölich* möchte für den Geschäftsbereich Faxgeräte der Zweistein & Cie GmbH eine Ergebnisrechnung erstellen. Der Geschäftsbereich umfasst die Produkte „Faxprofi" und „Multifax". Sie findet folgende Informationen für das Jahr 2005 vor:

Geschäftsbereich Faxgeräte - 2005 -	Faxprofi	Multifax
Absatzmenge, durch laufende Produktion gedeckt	20.000	15.000
Nicht verkaufte, jedoch durch laufende Produktion erstellte Menge	1.000	0
Absatzmenge, durch Bestandsminderung gedeckt	0	6.000
Herstellkosten [€/ME]	250,00 €	300,00 €
... davon variabel	200,00 €	250,00 €
Verwaltungs- und Vertriebsgemeinkosten je abgesetzter ME	50,00 €	80,00 €
... davon variabel	20,00 €	25,00 €
Nettoverkaufspreis:	500,00 €	450,00 €

Weitere Angaben:

Die Bewertung der Produkte erfolgt zu Herstellkosten. Die Kostensätze sind in den Jahren 2004 und 2005 identisch.

Neben den obigen Kosten fielen auch Abschreibungen an von 2,5 Mio. EUR.

a) Ermitteln Sie das Betriebsergebnis nach dem **Gesamtkostenverfahren zu Vollkosten und zu Teilkosten**.

Susi erkennt, dass sie unterschiedliche Ergebnisse erhält, je nach dem, mit welchem Wertansatz sie rechnet.

b) Zeigen Sie *Susi* rechnerisch, wie die **Unterschiede** zustande kommen.

c) Wie müsste eine Ergebnisrechnung aufgebaut sein, damit solche unterschiedlichen Wertansätze keine Rolle mehr spielen?

4.1.4 Chronos AG B

Der Controller der Chronos AG, *Paul G. Wieft*, möchte für die Sparte Digitaluhren eine Ergebnisplanung aufstellen. In der Sparte werden drei Uhrentypen X11, Y10 und Z20 für Labors hergestellt. Er plant mit folgenden Daten:

Plandaten für 2004				
Produkte	Stückerlös	Absatz-menge	Produktions-menge	Planherstellkosten (Gesamtmenge!)
X11	290 €	190	320	40.000 €
Y10	250 €	290	250	60.000 €
Z20	2.000 €	20	20	80.000 €

Die gesamten Plankosten betragen 210.000 €. Darin sind 30.000 € Verwaltungs- und Vertriebskosten enthalten, die sich gleichmäßig auf die abgesetzten Mengen der Produkte verteilen. Die Herstellkosten sind zu 75% variabel.

Gehen Sie davon aus, dass gelagerte Produkte dieselben Herstellkosten aufweisen wie die hergestellten.

a) Berechnen Sie das Planergebnis der Sparte Digitaluhren nach dem **Gesamtkostenverfahren** bzw. nach dem **Umsatzkostenverfahren** mit **Vollkosten**.

b) Im Studium hat *G. Wieft* schon einmal etwas von Teil- und Vollkosten gehört. Da seine Kostenrechnungsvorlesungen immer so früh begonnen hatten und er Langschläfer ist, kann er sich nicht mehr so recht erinnern, ob er denn dann dasselbe Ergebnis erhält oder nicht.

Ermitteln Sie für ihn das Betriebsergebnis nach dem **Gesamtkostenverfahren** auf **Teilkostenbasis**. Erläutern Sie das Ergebnis im Vergleich mit dem nach Vollkosten ermittelten.

4.2 Umsatzkostenverfahren

4.2.1 Meditec AG B

Der Medizingerätehersteller Meditec AG produziert zwei günstige Messgeräte für Herz- bzw. Lungenkranke. *Karla Kolumna* soll für das Jahr 2009 die Ergebnisrechnung aufstellen.

Meditec AG	Angaben für 2009				Herstellkosten 2008 (!)	
	Stückerlös	Fertigungszeit	Fertigungs-menge	Absatz-menge	Voll-kosten	Teil-kosten
2.009,00 €	[€/Stück]	[Min/Stück]	[Stück]	[Stück]	[€/Stück]	[€/Stück]
Kuradont	23,00 €	30,00 €	10.000	12.000	15,00 €	13,00 €
Pneumosan	13,00 €	20,00 €	6.000	5.000	10,00 €	8,00 €

Meditec AG 2.009,00 €	Gesamt-kosten		Material-Kostenstelle		Fertigungskostenstelle		Verwaltung und Vertrieb	
Kostenarten	fix	proportional	fix	proportional	fix	proportional	fix	proportional
Fertigungsmaterial für								
...Kuradont		20.000 €						
...Pneumosan		6.000 €						
Fertigungslöhne		85.000 €				85.000 €		
Fertigungs-gemeinkoste	35.000 €	90.000 €			35.000 €	90.000 €		
Lagerkosten	2.000 €	1.500 €	2.000 €	1.500 €				
Verwaltungskosten	10.000 €	8.000 €					10.000 €	8.000 €
Werbung	3.090 €	2.345 €					3.090 €	2.345 €
Verkauf	20.000 €	18.000 €					20.000 €	18.000 €
Zuschlagsbasis:			Fertigungsmaterial		Fertigungszeiten		Herstellkosten	

Hinweise:

- Bestände sind zu Herstellkosten zu bewerten.
- Die Herstellkosten in 2008 weichen von denen in 2009 ab. Sie finden die Werte für 2008 in der obigen Tabelle.

a) Ermitteln Sie zunächst über eine Zuschlagskalkulation die **Herstellkosten** der beiden Produkte **je Stück** für das Jahr 2009 zu Voll- und Teilkosten.

Berechnen Sie dann das Betriebsergebnis in 2009 nach dem **Umsatzkostenverfahren** mit 1.) **Vollkosten** bzw. mit 2.) **Teilkosten**.

b) Zeigen Sie rechnerisch die **Überleitung** vom Betriebsergebnis nach Vollkosten zu dem Betriebsergebnis nach Teilkosten.

Karla fragt sich, wo sie die Kosten der Bestandserhöhung aufführen soll bzw. wo diese „auftauchen". Können Sie ihr einen Rat geben?

4.2.2   Solar-Tech AG

Solar-Tech AG fertigt Solarpanels für Gebäude. Die Solarpanels werden in einem eigenen Profit Center hergestellt und verkauft. Da das Profit Center zum Verkauf steht, möchte dessen Geschäftsführer *Willi Wiesel* ein möglichst positives Betriebsergebnis ausweisen. Er beauftragt die Controllerin *Anna Netrevko* damit, die Zahlen legal möglichst positiv erscheinen zu lassen. *Anna* findet folgende Informationen für das erste Halbjahr 2011:

\multicolumn{5}{Profit Center Solarpanels Informationen aus Produktion und Lager}				
Monat	Produzierte Einheiten [Stück]	Abgesetzte Einheiten [Stück]	Veränderung Lagerbestand [Stück]	Lagerbestand Ende des Monats [Stück]
1	3.000	2.900	100	100
2	3.000	2.500	500	600
3	3.000	3.500	- 500	100
4	3.000	2.500	500	600
5	3.000	2.500	500	1.100
6	3.000	2.000	1.000	2.100

Profit Center Solarpanels		
Angefallene Kosten	Einheit	Betrag
Fixe Fertigungs-Gemeinkosten	[€/Monat]	65.000 €
Fixe Material-Gemeinkosten	[€/Monat]	25.000 €
Variable Fertigungslohnkosten	[€/Stück]	125 €
Variable Materialkosten	[€/Stück]	75 €
Fixe Verwaltungs- und Vertriebskosten	[€/Monat]	50.000 €

Der Absatzpreis betrug 250,- € je Solarpanel.

a) Ermitteln Sie für *Anna* den Wert des Lagerbestands am Ende eines Monats in EURO, sowie das Betriebsergebnis je Monat und für den gesamten Zeitraum in EURO. Jeweils mit dem **Umsatzkostenverfahren** nach **Teilkosten** und nach **Vollkosten**!

b) *Anna* freut sich, dass bei einer der beiden Rechnungen ein Ergebnis herauskommt, das ihrem Chef gefallen wird, nur ist sie nicht ganz sicher, warum das eigentlich so ist. Erläutern Sie, wie die unterschiedlichen Ergebnisse zustande kommen. Welche der Rechnungen halten Sie aus betriebswirtschaftlicher Sicht bzw. aus Sicht von *Willi Wiesel* für zweckmäßiger?

4.2.3   Skol GmbH C

Ali Baba hat Ende 2001 sein Sortiment um Katzenstreu erweitert, welches er in Säcken zu 100 kg an Großhändler verkauft. Je Sack erzielt er **50 €**. Nach Ablauf des ersten Halbjahres 2002 möchte er ermitteln, wie viel Gewinn er je Monat erzielt hat und welchen Wert die Lagerbestände haben. Sein Controller G. *Wieft* schlägt vor, diese Erfolgsrechnung mit Teil- und Vollkosten durchzuführen. Er geht von folgenden Informationen aus:

Angefallene Kosten	Einheit	Betrag
Fixe Fertigungs-Gemeinkosten	[€/Monat]	12.500 €
Fixe Material-Gemeinkosten	[€/Monat]	7.500 €
Variable Fertigungslohnkosten	[€/Sack]	12 €
Variable Materialkosten	[€/Sack]	8 €
Fixe Verwaltungs- und Vertriebskosten	[€/Monat]	3.750 €

Informationen aus Produktion und Lagerverwaltung				
Monat	Produzierte Einheiten [Säcke]	Abgesetzte Einheiten [Säcke]	Veränderung Lagerbestand [Säcke]	Lagerbestand Ende des Monats [Säcke]
1	2.500	750	1.750	1.750
2	2.500	1.750	750	2.500
3	2.500	4.700	- 2.200	300
4	2.500	2.800	- 300	-
5	2.500	1.300	1.200	1.200
6	2.500	700	1.800	3.000

a)   Ermitteln Sie folgende Informationen:

- Wert des Lagerbestands in EURO je Monat
- Monatliches Betriebsergebnis in EURO

   Berechnen Sie diese Informationen nach dem **Umsatzkostenverfahren** sowohl mit **Teilkosten** als auch mit **Vollkosten.**

b)   *Ali Baba* ist verwirrt, dass er in einzelnen Monaten je nach Rechnung mal Gewinne oder Verluste macht. G. *Wieft* kann sich darauf auch keinen Reim machen. Erläutern Sie, woher diese Unterschiede im

Betriebsergebnis stammen. Welche Rechnung (Voll- oder Teilkosten) würden Sie für diese Monatsbetrachtung empfehlen? Begründen.

4.2.4 Solarworld GmbH

Solarworld GmbH produziert in einem eigenen Profit Center Solarmodule zur Stromerzeugung (Photovoltaik). Angesichts sinkender Solastromförderung denkt die Geschäftsführung über einen Verkauf nach. Um die „Braut etwas aufzuhübschen", sollen die Betriebsergebnisse des ersten Halbjahres 2012 des Profit Centers möglichst positiv erscheinen. Relevant sind die Kennzahlen Betriebsergebnis und Umsatzrendite. Sie finden folgende Daten des ersten Halbjahres 2012 vor:

Profit Center Photovoltaik		
Angefallene Kosten	**Einheit**	**Betrag**
Fixe Fertigungs-Gemeinkosten	[€/Monat]	75.000 €
Fixe Material-Gemeinkosten	[€/Monat]	25.000 €
Variable Fertigungslohnkosten	[€/Stück]	125 €
Variable Materialkosten	[€/Stück]	75 €
Fixe Verwaltungs- und Vertriebskosten	[€/Monat]	45.000 €

Profit Center Photovoltaik Informationen aus Produktion und Lager				
Monat	Produzierte Einheiten [Stück]	Abgesetzte Einheiten [Stück]	Veränderung Lagerbestand [Stück]	Lagerbestand Ende des Monats [Stück]
1	2.500	2.300	200	200
2	2.500	2.200	300	500
3	2.500	2.100	400	900
4	2.500	2.000	500	1.400
5	2.500	1.900	600	2.000
6	2.500	1.900	600	2.600

Der Absatzpreis betrug konstant 275- € je Solarmodul. Der Lagerbestand am 1.1.12 war Null.

a) Ermitteln Sie die das **Betriebsergebnis** und die **Umsatzrendite** je Monat und für den gesamten Zeitraum in EURO. Jeweils mit dem **Umsatzkostenverfahren** nach **Vollkosten** und nach **Teilkosten**!

b) Welches Verfahren führt zu einem besseren Ergebnis und zu einer besseren Rendite und weshalb?

Die Abhängigkeit solcher Kennzahlen vom verwendeten Bewertungsverfahren ist vermutlich kaum zu vermeiden. Wie könnte ein potentieller Investor vorgehen, um in dem oben genannten Fall einen Einblick zu erhalten, der solche Abhängigkeiten wenigstens reduziert?

4.3 Mehrstufige Deckungsbeitragsrechnung

4.3.1 Kästner Ski AG B

Das Unternehmen Kästner Ski AG aus Berchtesgaden stellt moderne „Einmal-Snowboards" (Produkte A bis D) her. Man sieht hier eine Marktlücke, da die Skifreunde meist nur eine Woche im Jahr Skifahren und gerne topmodische Boards haben wollen. Die Snowboards sind für eine kurze Lebensdauer (1 Monat) ausgelegt. Damit kann man kostengünstig jedes Jahr mit einem aktuellen Snowboard fahren. Das gebrauchte Snowboard ist im Gelben Sack zu entsorgen.

Der Fertigungsleiter *Seppl Moser* bittet die neue Assistentin der Geschäftsleitung, *Cornelia Huber*, um Hilfe bei der Ermittlung der Profitabilität seiner Produkte. Die Produktion erfolgt in zwei Kostenstellen I und II. In der Kostenstelle I arbeiten zwei Maschinen M1, M2. Auf Maschine 1 wird das Snowboard A gefertigt, auf Maschine 2 die Produkte B und C, in der Kostenstelle II das Produkt D. Im letzten November sind folgende Daten angefallen:

Kästner Ski AG Istdaten November 2002					
Einzelkosten	Einheit	Produkt A	Produkt B	Produkt C	Produkt D
Fertigungslöhne	[€/Monat]	4.000 €	3.500 €	3.350 €	4.050 €
Fertigungsmaterial	[€/Monat]	8.000 €	4.000 €	4.000 €	12.000 €
Sondereinzelkosten Vertrieb	[€/Monat]	990 €	437 €	345 €	826 €
Erzeugnisfixkosten	[€/Monat]	1.350 €	- €	2.200 €	1.350 €
Hergestellte Menge	[Stück]	400	200	175	300
Abgesetzte Menge	[Stück]	480	160	175	315
Verkaufspreise	[€/Stück]	80 €	125 €	120 €	100 €
Gemeinkosten	variabel [€]	fix [€]			
Kst. I Maschine 1	2.850 €	1.700 €			
Maschine 2	3.000 €	1.250 €			
Rest	- €	16.500 €			
Kst. II	2.300 €	11.000 €			
Materialstelle	1.050 €	1.050 €			
Verwaltungs- und Vertriebs-Kst.	2.717 €	16.000 €			
Kst. = Kostenstelle					

Moser hat analysiert, dass die Maschine 2 doppelt so lange mit der Fertigung des Produkts C beschäftigt war, wie mit der Fertigung des Produkts B.

a) Führen Sie eine **mehrstufige Deckungsbeitragsrechnung** für den Monat November durch und ermitteln Sie den Betriebserfolg.

Hinweise: Bitte teilen Sie die variablen Materialgemeinkosten sowie die variablen Vertriebs- und Verwaltungskosten über die jeweiligen Einzelkostenbeträge zu, nicht über die Mengen. Überlegen Sie zunächst, welche Stufen der DB-Rechnung zu unterscheiden sind.

b) Welche Vorschläge sollte Frau *Huber* Herrn *Moser* bzgl. der Sortimentspolitik unterbreiten? Welche Maßnahmen sollte das Unternehmen ergreifen?

4.3.2   Kästner Ski AG C

Das Unternehmen Kästner Ski AG aus Berchtesgaden leidet immer mehr unter den seltener werdenden Wintern und hat deshalb als weiteres Standbein das Geschäftsfeld „Rollerskates" gegründet. Die Herstellung der Rollerskates erfolgt ähnlich den bisher schon erzeugten Einmal-Snowboards. Die Rollerskates R1 bis R4 werden in zwei Kostenstellen, 4711 und 4712, gefertigt. In der Kostenstelle 4711 sind zwei Maschinen im Einsatz M1, M2. Auf Maschine M1 wird das Produkt R1 gefertigt, auf Maschine 2 die Produkte R2 und R3. In der Kostenstelle 4712 erfolgt die Produktion von R4. Die Daten des letzten Septembers waren:

Kästner Ski AG Geschäftsfeld Rollerskates Istdaten September 2006					
Einzelkosten	Einheit	Produkt R1	Produkt R2	Produkt R3	Produkt R4
Fertigungslöhne	[€/Monat]	4.500 €	3.000 €	3.500 €	4.500 €
Fertigungsmaterial	[€/Monat]	9.000 €	5.000 €	6.000 €	10.000 €
Sondereinzelkosten Vertrieb	[€/Monat]	1.000 €	500 €	600 €	700 €
Erzeugnisfixkosten	[€/Monat]	2.000 €	800 €	1.500 €	2.000 €
Hergestellte Menge	[Stück]	500	400	250	300
Abgesetzte Menge	[Stück]	480	300	200	350
Verkaufspreise	[€/Stück]	70 €	80 €	90 €	75 €
Gemeinkosten	variabel [€]	fix [€]			
Kst. 4711 Maschine 1	5.000 €	2.500 €			
Maschine 2	3.000 €	1.500 €			
Rest	- €	5.000 €			
Kst. 4712	2.500 €	6.000 €			
Materialstelle	2.000 €	2.000 €			
Verwaltungs- und Vertriebs-Kst.	2.717 €	17.566 €			
Kst. = Kostenstelle					

Die Maschine 2 war doppelt so lange mit der Fertigung des Produkts R3 beschäftigt, wie mit der Fertigung des Produkts R2.

a) Führen Sie eine **mehrstufige Deckungsbeitragsrechnung** für den Monat September durch und ermitteln Sie den Betriebserfolg.

Hinweise: Bitte teilen Sie die variablen Materialgemeinkosten sowie die variablen Vertriebs- und Verwaltungskosten über die jeweiligen Einzelkostenbeträge zu, nicht über die Mengen. Überlegen Sie zunächst, welche Stufen der DB-Rechnung zu unterscheiden sind.

62

b) Wie stellt sich die wirtschaftliche Situation des Geschäftsfeldes dar? Was schlagen Sie für die Sortimentspolitik vor?

4.3.3   Shocter & Tramble B

Von Marmelade hat *Dextra Süß* die Nase voll und wechselt zum Waschmittelhersteller Shocter & Tramble (S&T). Dort soll sie sich um die Deckungsbeitragsrechnung kümmern. S&T stellt die Produktgruppen Haushaltswaschmittel und Klinik-Waschmittel her. *Dextra* findet folgende Informationen für den abgelaufenen Monat Januar 2005 vor:

S&T Januar 2005	Haushaltswaschmittel		Klinik-Waschmittel		
Produkte	Superwash	Ecowash	Mediwash classic	Mediwash extra	Einheit
Herstellmenge	5.000	4.500	3.000	2.500	[Packung]
Absatzmenge	5.500	3.900	2.600	2.000	[Packung]
Fertigungslöhne	12.500,00 €	11.250,00 €	2.250,00 €	1.875,00 €	[€]
Fertigungsmaterial	7.000,00 €	7.200,00 €	2.550,00 €	2.500,00 €	[€]
variable Gemeinkosten	5.500,00 €	6.300,00 €	1.800,00 €	2.125,00 €	[€]
Produktfixkosten	10.000 €	4.000 €	3.500 €	2.800 €	[€]
Verkaufspreis	8,00 €	12,00 €	6,00 €	9,00 €	[€/Packung]
Gezahlte Verkaufs-provisionen an Handelsverteter	11.000 €	8.000 €	5.200 €	3.000 €	[€]

Wie ersichtlich, hat das Unternehmen im Januar 05 zur Ankurbelung des Absatzes Produkte über Handelsvertreter verkauft und ihnen dafür eine stückabhängige Provision gezahlt.

An weiteren Kosten sind angefallen: Fixkosten in der Produktgruppe Klinik-Waschmittel von 3.400 € und in der Produktgruppe Haushaltswaschmittel 5.500 €. Daneben entstanden noch Unternehmensfixkosten von 8.000 €.

a)   Berechnen Sie zunächst die **absolute Preisuntergrenze** je Produktpackung. Stellen Sie anschließend eine **mehrstufige Deckungsbeitragsrechnung** auf und ermitteln Sie so den Betriebserfolg im Januar 2005.

b)   Die Ergebnisse des Monats Januar sind doch eher bescheiden und es zeichnet sich in den ersten Tagen des Februars bereits ein noch weiter zurückgehender Absatz ab; die Produktion ist derzeit nicht voll ausgelastet. Da kommt eine Anfrage des Filialisten Friedl & Weiss gerade recht. Das Einzelhandelsunternehmen würde 1.000 Packungen Superwash direkt ab Werk kaufen. Es ist jedoch nur bereit 7 € je Packung zu bezahlen. *Dextra* ist sich nicht sicher, ob sich das Geschäft lohnen würde. Helfen Sie ihr.

5 Plankostenrechnung und Abweichungsanalyse

5.1 Prost Ziegel GmbH & Co. KG A

Prost Ziegel GmbH & Co. KG hat Ende 1999 zur Automatisierung der Produktion eine vollautomatische Fertigungszelle „TILE-O-VATOR 3000" beschafft, die in der Lage ist, Ziegel mit hoher Qualität und in großen Mengen ohne nennenswerten Personaleinsatz herzustellen. Der Anschaffungswert betrug 500.000,- EUR, die Anlage wird auf 5 Jahre linear abgeschrieben. Für Wartung und Instandsetzung wurde mit dem Hersteller der Fertigungszelle eine Jahrespauschale in Höhe von 20% des Anschaffungswerts vereinbart. Man rechnet mit Stromkosten von 0,20 EUR je KWh und einem Stromverbrauch von 500 kWh je Nutzungsstunde der Maschine. An weiteren Hilfs- und Betriebsstoffen fallen je Nutzungsstunde 100,- EUR an. Für die Bedienung und Beaufsichtigung werden zwei Industriemeister benötigt, deren Stundenlohn je 62,50 EUR beträgt, wobei noch zusätzlich eine außertarifliche Zulage von einem Fünftel des Stundensatz gezahlt wird.

Die Anlage wird im Zweischichtbetrieb gefahren. Je Schicht 6 Stunden 15 Minuten an durchschnittlich 200 Arbeitstagen.

a) Stellen Sie die **Kostenfunktion** der Anlage in Abhängigkeit der Fertigungszeit in Stunden auf. Ermitteln Sie die Plankosten bei Vollbeschäftigung.

Nach Ablauf des Planjahres sind folgende Istdaten festgestellt worden: Die Istbeschäftigung ist um 20% geringer als die Planbeschäftigung, die Istkosten sind 225.000,- EUR niedriger als die Plankosten. Die Strompreise konnten je kWh um 5 Cent gesenkt werden, während die Lohnkosten in Summe um 15,- EUR je Fertigungsstunde teurer geworden sind.

b) Führen Sie eine **Abweichungsanalyse** durch.

5.2   Osterwelle Handel

Guido Osterwelle produziert und verkauft Mützen für Fußballfans. Im Vorgriff auf den anstehenden Konföderationen-Cup plante er für Juni 2005 mit einem beträchtlichen Absatz der Produkte „Schweinsteiger" (S) und „Ronaldo" (R). Im Juni erkennt er, dass der Fußballstar Ronaldo gar nicht bei der brasilianischen Mannschaft mitspielt. Eine größere Menge von „R" kann er deshalb nur durch Preiszugeständnisse absetzen. Bei der Mütze „S" läuft es besser, jedoch verlangt der Lizenzgeber höhere Lizenzgebühren als gedacht. Insgesamt nimmt der Umsatz zu. Guido freut sich schon, ist jedoch nach Ablauf des Monats ernüchtert über den deutlich gesunkenen Gesamtgewinn. Sie finden nachfolgend die Plan- und Istdaten:

Jun 09	Produkt L		Produkt M		Gesamt	
	Ist	Plan	Ist	Plan	Ist	Plan
Absatzvolumen	3.000	3.500	3.500	2.500	6500	6000
Absatzpreis	6,00 €	7,50 €	10,50 €	10,00 €		
Umsatz	18.000 €	26.250 €	36.750 €	25.000 €	54.750 €	51.250 €
variable Stückkosten	2,90 €	3,00 €	5,00 €	3,00 €		
variable Gesamtkosten	8.700 €	10.500 €	17.500 €	7.500 €	26.200 €	18.000 €
Stück-DB	3,10 €	4,50 €	5,50 €	7,00 €		
Gesamt-DB	9.300 €	15.750 €	19.250 €	17.500 €	28.550 €	33.250 €
produktartbezogene Fixkosten	7.500,00 €	8.000,00 €	15.000,00 €	12.000,00 €	22.500,00 €	20.000,00 €
				Sonstige Fixkosten	3.000,00 €	3.000,00 €
				Gewinn	3.050,00 €	10.250,00 €

a) In seiner Ausbildung als Automechaniker hat Guido nichts über Abweichungsanalyse gehört. Helfen Sie ihm und berechnen Sie folgende Abweichungen:

- Umsatzabweichung

- Absatzpreisabweichung

- Absatzmengenabweichung sowie Absatzmix- und Absatzvolumenabweichung

- Deckungsbeitragsbezogene Auswirkungen der o.g. Abweichungen

- Deckungsbeitragsbezogene Auswirkungen, die durch Kostenänderungen bedingt sind.

b) In den variablen Kosten der Mütze „S" sind auch Lizenzgebühren je verkauftem Stück enthalten. Sie betrugen im Plan 1,- € je Mütze. Die Ist-Lizenzgebühr war 3,- € je Mütze. Der Lizenzgeber, das Unternehmen freeloader Inc. schlägt Guido vor, statt des bisherigen Lizenzmodells nur noch eine monatlich fixe Lizenzgebühr zu zahlen. Ermitteln Sie für Guido auf der Basis der Istdaten des Monats Juni den Betrag, bei dem die Kosten des bisherigen Lizenzmodells und die fixe Lizenzgebühr gleich sind. Skizzieren Sie kurz die Chancen und Risiken des neuen Lizenzmodells. Welchen Rat geben Sie Guido?

5.3 Edelfeder GmbH B

Lisa Simpson ist neue Controllerin des Schreibgeräteherstellers Edelfeder GmbH. Ihr Vorgesetzter zeigt ihr die aktuelle Ergebnisrechnung für die Tintenroller Alpha und Beta (siehe unten) und sieht sich angesichts des gleich bleibenden Gewinns bestätigt, dass im Grunde nichts Wichtiges am Markt und im Unternehmen passiert sei. *Lisa* ist anderer Ansicht und schlägt vor, eine Abweichungsanalyse zu erstellen.

Jun 08	Produkt Alpha		Produkt Beta		Gesamt		
	Ist	Plan	Ist	Plan	Ist	Plan	
Absatzvolumen	3.800	4.000	4.000	3.500	7800	7500	[ME]
Absatzpreis	12,00 €	11,00 €	12,00 €	14,00 €			[€/ME]
Umsatz	45.600 €	44.000 €	48.000 €	49.000 €	93.600 €	93.000 €	[€]
variable Stückkosten	8,00 €	7,50 €	8,00 €	9,00 €			[€/ME]
variable Gesamtkosten	30.400 €	30.000 €	32.000 €	31.500 €	62.400 €	61.500 €	[€]
Stück-DB	4,00 €	3,50 €	4,00 €	5,00 €			[€/ME]
Gesamt-DB	15.200 €	14.000 €	16.000 €	17.500 €	31.200 €	31.500 €	[€]
produktartbezogene Fixkosten	7.000,00 €	9.000,00 €	15.000,00 €	13.300,00 €	22.000,00 €	22.300,00 €	[€]
			Sonstige Fixkosten		3.000,00 €	3.000,00 €	[€]
			Gewinn		6.200,00 €	6.200,00 €	[€]

a) Berechnen Sie für *Lisa* folgende **Abweichungen**:

- Umsatzabweichung
- Absatzpreisabweichung
- Absatzmengenabweichung sowie Absatzmix- und Absatzvolumenabweichung
- Deckungsbeitragsbezogene Auswirkungen der o.g. Abweichungen
- Deckungsbeitragsbezogene Auswirkungen, die durch Kostenänderungen bedingt sind.
- Sonstige Veränderungen, die den Gewinn beeinflussen

b) *Lisa* findet heraus, dass die tatsächlichen Herstell- und Absatzmengen voneinander abwichen. Errechnen Sie für *Lisa* den Wert der **Bestandsveränderungen** auf Basis der Ist-Teilkosten.

Jun 08	Produkt Alpha		Produkt Beta		
	Ist	Plan	Ist	Plan	
Absatzmenge (s.o.)	3.800	4.000	4.000	3.500	[ME]
Herstellmenge	4.000	4.000	3.500	3.500	[ME]

Ihr Chef ist der Meinung, dass *Lisa* in der obigen Ergebnisrechnung unbedingt die Bestandsveränderungen noch einbeziehen müsse. *Lisa* zweifelt daran.

Nehmen Sie dazu Stellung!

70

5.4   Cut-Tools GmbH

Cut-Tools GmbH stellt Schneidgeräte für Diamanten her. Es handelt sich um kundenspezifische Anfertigungen auf der Basis von Standardkomponenten sowie spezieller Teile. Dementsprechend ist jeder Kundenauftrag einzeln zu kalkulieren. Ende November 2006 wurden zwei Aufträge akquiriert. Sie sollen beide im Dezember 2006 produziert und ausgeliefert werden. Sie finden dafür folgende Plandaten:

Plandaten Dezember 2006	Auftrag 1	Auftrag 2	
Materialeinzelkosten	2.000 €	3.000 €	[€]
Fertigungsstunden	45	70	[h]
Sondereinzelkosten Vertrieb		500 €	[€]

Kostenstellen (Plan Dezember 2006)	Lager	Vormontage	Endmontage	Verwaltung u. Vertrieb	Summe
Gemeinkosten [€/Monat]	25.000 €	50.000 €	30.000 €	51.000 €	156.000 €
Zuschlagsbasis	Einzelkosten [€]	Fertigungs-stunden [h]	Aufträge [Anzahl]	Herstellkosten [€]	

Sonstige Plandaten	Betrag	Einheit
Materialeinzelkosten	50.000 €	[€/Monat]
Lohnkostensatz	50 €	[€/h]
Fertigungsstunden	2.000	[h/Monat]
Anzahl Aufträge	15	[Anzahl/Monat]
Umsatzrendite	10%	[%]
Rabattsatz	5%	[%]
Skontosatz	2%	[%]
Umsatzsteuersatz	16%	[%]

a) Ermitteln Sie für die Plankalkulation zunächst die **Gemeinkostenzuschläge**. Stellen Sie dann eine **Plan-Auftragskalkulation** für die beiden Aufträge auf. Berechnen Sie dabei den **Angebotspreis** je Auftrag.

Wie so oft, ist die Realität anders als der Plan. Auftrag 1 konnte erst Anfang Januar ausgeliefert werden und so muss bspw. der höhere Umsatzsteuersatz von 19% angewandt werden. Auch andere Änderungen ergaben sich. Sie finden sie in der folgenden Tabelle. Daten und Parameter, die dort nicht aufgeführt sind, entsprechen den Planwerten.

Istdaten Januar 2007 für Auftrag 1		
Rabatt	530 €	[€]
Skonto	250 €	[€]
Rechnungsbetrag brutto	10.000 €	[€]
Umsatzsteuersatz	19%	[%]
Materialeinzelkosten	2.200 €	[€]
Lohnstunden	40	[h]
Sondereinzelkosten Vertrieb	200 €	[€]

b) Berechnen Sie Auftrag 1 neu auf der Basis der angegeben Daten (**Nachkalkulation**). Ermitteln Sie die **Abweichung** zum jeweiligen Planwert je Kalkulationszeile und geben Sie je Zeile die **Ursache** für eine ggf. entstandene Abweichung an.

5.5 Kurz & Fein GmbH

Das Unternehmen Kurz & Fein GmbH stellt Schleifscheiben her. Die Niederlassung Kulmbach vertreibt die Produkte P1 und P2 im süddeutschen Raum. Die in der Niederlassung beschäftigte Controllerin *Svenja Listig* soll dem Niederlassungsleiter erklären, wie es zu dem Gewinneinbruch im Mai 2006 kam. Sie findet die in der unten stehenden Tabelle aufgeführten Informationen vor.

Mai 06	Produkt P1		Produkt P2		Gesamt		
	Ist	Plan	Ist	Plan	Ist	Plan	
Absatzvolumen	4.000	3.500	3.500	2.500	7500	6000	[ME]
Absatzpreis	10,00 €	11,00 €	10,00 €	12,00 €			[€/ME]
Umsatz	40.000 €	38.500 €	35.000 €	30.000 €	75.000 €	68.500 €	[€]
variable Stückkosten	7,50 €	8,00 €	7,50 €	6,00 €			[€/ME]
variable Gesamtkosten	30.000 €	28.000 €	26.250 €	15.000 €	56.250 €	43.000 €	[€]
Stück-DB	2,50 €	3,00 €	2,50 €	6,00 €			[€/ME]
Gesamt-DB	10.000 €	10.500 €	8.750 €	15.000 €	18.750 €	25.500 €	[€]
produktartbezogene Fixkosten	7.500,00 €	8.000,00 €	15.000,00 €	12.000,00 €	22.500,00 €	20.000,00 €	[€]
Sonstige Fixkosten					3.000,00 €	3.000,00 €	[€]
Gewinn					- 6.750,00 €	2.500,00 €	[€]

a) Berechnen Sie für *Svenja* folgende **Abweichungen**:

- Umsatzabweichung
- Absatzpreisabweichung
- Absatzmengenabweichung sowie Absatzmix- und Absatzvolumenabweichung
- Deckungsbeitragsbezogene Auswirkungen der o.g. Abweichungen
- Deckungsbeitragsbezogene Auswirkungen, die durch Kostenänderungen bedingt sind.
- Sonstige Veränderungen, die den Gewinn beeinflussen

b) Das Produkt P1 ist eine Schleifscheibe für das Schleifgerät Fett & Schmecker 500. Im Juni 2006 wird überraschend die Produktion des Schleifgeräts eingestellt, da es fortwährend technische Probleme gab. Am Lager sind allerdings noch 1.000 Stück P1, die jetzt als unverkäuflich gelten. Sie wurden im Mai 2006 produziert. Der Eisenwarenhändler *Peter Schlaumeier* bietet an, für die Schleifscheiben insgesamt 8.000 EUR zu zahlen. *Svenja* kommen Zweifel, ob sich das lohnt.

Errechnen Sie für sie die Vollkosten je Stück auf der Basis der Istdaten Mai 2006. Sollte sie das Geschäft ablehnen?

6 Break-Even-Rechnung

6.1 Le Go Inc.

Hop Sing ist Controller bei dem chinesischen Spielzeughersteller Le Go Inc. in Shanghai. Er hat die Aufgabe, die Wirtschaftlichkeit der neuen Produktgruppe „Plüschtiere" zu berechnen. Die Produktgruppe besteht aus den fünf Produkten (A)ffe, (B)aer, (C)hamäleon, (D)achs und (E)sel.

Alle Angaben bezogen auf das Jahr 2006

Produkt	Absatzpreis je ME	Geplante Absatz- höchstmenge in Stück	variable Stückkosten	Produktartfixe Kosten
A	10 €	10.000	6,00 €	10.000 €
B	11 €	20.000	7,00 €	20.000 €
C	8 €	15.000	5,00 €	14.000 €
D	6 €	20.000	3,00 €	25.000 €
E	10 €	15.000	8,00 €	20.000 €

Daneben fallen pro Jahr sonstige Fixkosten an: Abschreibungen in Höhe von 50.000 EUR und Verwaltungskosten von 75.000 EUR.

a) Ermitteln Sie rechnerisch die **Gewinnschwelle** für die Produktgruppe „Plüschtiere".

Als zweites Problem stellt sich Hop Sing die Einplanung der monatlich nach Europa zu versendenden Container. Jeder Container hat ein maximales Fassungsvermögen von **200.000 Kubikzentimeter**. In jeden Container müssen sich von jedem Produkt A bis E **mindestens 600** Stück befinden. Andererseits können pro Monat von jedem Produkt auch nur bestimmte Höchstmengen hergestellt werden und der Raumbedarf jeder Produkteinheit ist unterschiedlich, wie die folgende Tabelle zeigt:

Produkt	Raumbedarf je Stück in cm³	Maximale Herstellmenge je Monat
A	30,00	1.200
B	50,00	1000
C	25,00	1.100
D	40,00	750
E	80,00	750

b) Ermitteln Sie eine deckungsbeitragsmaximale **Belegung** des Containers mit dem Verfahren der engpassbezogenen Reihung. Berechnen Sie auch, welchen **Deckungsbeitrag** das Unternehmen mit solch einem gefüllten Container erzielen würde.

Hinweis: Beginnen Sie bei der Einplanung mit den Mindestmengen je Produkt.

6.2   Prost Ziegel GmbH & Co. KG B

Das Unternehmen Prost Ziegel GmbH & Co. KG stellt bisher vier verschiedene Arten von Tonziegeln her, deren Selbstkosten mit Äquivalenzziffern kalkuliert werden sollen. Die gesamten Herstellkosten für das Jahr 2001 werden mit 67.500,- EUR veranschlagt, wobei davon 27.000,- EUR fix sind! Die variablen Vertriebskosten – insbesondere Transportkosten und Verkaufsprovisionen – sollen für das laufende Jahr 33.480,- EUR betragen. Weiterhin finden Sie folgende Informationen vor:

Produktart	Plan-Herstell-menge in [t]	Planabsatz-menge in[t]	Aquivalenzziffern für			Plan-verkaufs-preis
			fixe Herstell-Kosten	variable Herstell-Kosten	Vertriebs-kosten	je [t]
"Blaue Pfanne"	120	100	1,0	1,0	2,0	200,00 €
"Rote Pfanne"	75	75	2,0	1,6	2,0	300,00 €
Schindel 1	60	40	3,0	2,0	1,0	200,00 €
Schindel 2	150	120	1,5	3,0	1,4	300,00 €

a) Ermitteln Sie die **Selbstkosten je Tonne** je Produktart zu Vollkosten und zu Teilkosten!

b) Ermitteln Sie - aufbauend auf Aufgabe a) - die **Break-Even-Mengen** je Produktart, sowie den entsprechenden Gewinn bzw. Verlust bei den Planabsatzmengen je Produktart. Welche Schlussfolgerung ziehen Sie aus den Resultaten?

6.3   Interfruit AG B

Luigi Controlletti fängt neu bei der Fa. Interfruit AG an und erhält als erstes die Aufgabe für seinen Vorgesetzten eine mehrstufige Deckungsbeitragsrechnung aufzubauen.

Das Unternehmen setzt sich aus den zwei Unternehmensbereichen **Säfte** und **Obst** zusammen. Der Bereich Säfte umfasst die beiden Produkte **Apfelsaft** und **Orangensaft**, der Bereich Obst die Produktgruppen **Stückobst** und **Mus**. Die Produktgruppe Stückobst umfasst die Produkte **Ananas** und **Pfirsich**, die Produktgruppe Mus die Produkte **Pflaumen** und **Apfel**.

Die Verkaufsstatistik des letzten Monats sieht wie folgt aus:

	Apfelsaft	Orangen-saft	Ananas	Pfirsich	Pflaumen-mus	Apfelmus
Preis in EUR	2	2	2	3	4	3
Absatzmenge in Stück	60.000	70.000	60.000	20.000	10.000	35.000
Rabatt u.ä. in EUR	6.000 EUR	9.000 EUR	2.000 EUR	1.000 EUR	1.000 EUR	3.000 EUR

Aus der Kostenrechnungsabteilung erhalten Sie folgende Kostendaten:

	Apfelsaft	Orangen-saft	Ananas	Pfirsich	Pflaumen-mus	Apfelmus
Materialkosten je Stück in EUR	0,36 EUR	0,40 EUR	1,00 EUR	1,68 EUR	1,30 EUR	0,75 EUR
Lohnkosten je Stück in EUR	0,72 EUR	0,67 EUR	0,12 EUR	0,70 EUR	0,56 EUR	0,15 EUR
Fixe Kosten in EUR	12.300 EUR	11.200 EUR	45.000 EUR	22.400 EUR	10.000 EUR	28.500 EUR

Daneben fallen für die Produktgruppen jeweils produktgruppenspezifische Kosten an. Bei Stückobst sind das 4.000,- EUR und bei Mus 7.400,- EUR. Der Bereich Säfte verursacht 21.800,- EUR Fixkosten, der Bereich Obst 24.000,- EUR. Darüber hinaus entstanden dem Unternehmen noch Fixkosten in Höhe von 58.000,- EUR.

a) Führen Sie eine **mehrfachgestufte Deckungsbeitragsrechnung** durch.

b) Aufgrund der Ergebnisse schlägt *L. Controlletti* vor, den Bereich **Stückobst** einzustellen. Sein Vorgesetzter zweifelt an der Richtigkeit dieses Vorschlags, da *Controlletti* nur schlechte Noten im Fach Kostenrechnung hatte.

   Wie würde sich der **Gewinn kurzfristig bzw. langfristig** verändern, wenn dem Vorschlag von *L. Controlletti* gefolgt würde?

   Erläutern Sie das Ergebnis!

c) Wie viele Mengeneinheiten müssten verkauft werden, damit bei der in Aufgabe a) genannten Kostenstruktur das Produkt **Pfirsich** wieder lukrativ wäre?

   Lösen Sie die Aufgabe rechnerisch.

7 Programmplanung

7.1 La Chatte Velours S.A.

La Chatte Velours S.A. verkauft exklusive Katzentoiletten (Motto: „Für das anspruchsvolle Samtpfötchen") über eigene Filialen. Insgesamt werden fünf verschiedene Toiletten hergestellt und verkauft. Jede weist spezifische variable Kosten und eine unterschiedliche Größe auf. Drei dieser Filialen liegen in Städten mit unterschiedlicher Kaufkraft. Daher sind die erzielbaren Preise je Filiale meist unterschiedlich. Ungeklärt ist die Frage, in welchen Filialen welche Produkte verkauft werden sollten, um einen maximalen Gewinn zu erhalten. Sie finden folgende Daten vor:

Angebotene Produkte	Variable Kosten je Stück	Flächenbedarf des Produkts	Höchstabsatz in einer Filiale	Preise je Filiale		
				Preise in Filiale 1	Preise in Filiale 2	Preise in Filiale 3
A	45 €	50	100	60 €	50 €	55 €
B	30 €	100	200	50 €	35 €	40 €
C	25 €	40	400	30 €	30 €	30 €
D	40 €	40	300	50 €	45 €	40 €
E	50 €	50	200	70 €	70 €	60 €
	[€/Stück]	[cm²/Stück]	[Stück]	[€/Stück]	[€/Stück]	[€/Stück]
				Filiale 1	Filiale 2	Filiale 3
		Verkaufsfläche [cm²/Filiale]		60.000	50.000	40.000
		Fixkosten [€/Filiale]		5.000 €	8.000 €	8.000 €

a) Ermitteln Sie das **gewinnmaximale Sortimentsprogramm** je Filiale mit dem Verfahren der engpassbezogenen Reihung.

7.2 Schentler Ges.m.b.H. D

Das Unternehmen Schentler Ges.m.b.H. fertigt eine Reihe von Kleinteilen für Ski-Werkstätten. Ende Mai 2010 steht die Aufgabe an, für den Folgemonat eine Programmplanung durchzuführen. Die Produkte P1 bis P4 werden auf den Fertigungsstellen I-III hergestellt. Sie finden folgende Daten vor:

Plandaten für Juni 2010

Produkt	Stückerlös	Einzelkosten je Stück	Maximale Absatzmenge
	[€/Stück]	[€/Stück]	[Stück]
P1	81,00	65,00	800
P2	52,00	42,00	1.000
P3	56,00	40,00	1.200
P4	22,00	14,50	1.000

Produkt	Bearbeitungszeit in [Min. je Stück]		
	Fert.stelle I	Fert.stelle II	Fert.stelle III
P1	7	6	8
P2	3	3	2
P3	5	6	4
P4	4	2	5
	Fert.stelle I	Fert.stelle II	Fert.stelle III
Kapazitäten	19.000	21.000	15.000

(Kapazität in Minuten/Monat)

In der Fertigung selbst fallen weitere Gemeinkosten von 10.000 EUR je Monat an, in der Verwaltung des entsprechenden Profit Centers zusätzlich 15.000 EUR je Monat.

a) Ermitteln Sie das gewinnmaximale Produktionsprogramm für Juni 2010 mit dem Verfahren der **engpassbezogenen Reihung**.

An der Fertigungsstelle I fällt Anfang Juni eine Maschine aus. Die Reparatur wird mehrere Tage dauern. Die verfügbare Kapazität sinkt dadurch von 19.000 Minuten auf 18.000 Minuten.

b) Welche Auswirkung, wenn überhaupt, hat das auf die obige Programmplanung und wie müsste man ggf. das gewinnmaximale Produktionsprogramm berechnen?

7.3 Edelfeder GmbH C

Lisa Simpson ist neue Controllerin des Schreibgeräteherstellers Edelfeder GmbH. *Lisa Simpson* erhält als nächstes die Aufgabe für die Kugelschreiber-Produktion der Edelfeder GmbH eine Programmplanung durchzuführen. Die Produkte P1 bis P4 werden auf den Fertigungsstellen I-III hergestellt. Sie stellt folgende Daten zusammen:

Produkt	Stückerlös	Einzelkosten je Stück	Maximale Absatzmenge
	[€/Stück]	[€/Stück]	[Stück]
P1	90	70	800
P2	42	32	1.000
P3	56	40	1.200
P4	22	12	1.000

Produkt	Bearbeitungszeit in [Min. je Stück]		
	Fert.stelle I	Fert.stelle II	Fert.stelle III
P1	7	6	8
P2	3	3	2
P3	5	6	4
P4	4	2	5
	Fert.stelle I	Fert.stelle II	Fert.stelle III
Kapazitäten	20.000	21.000	15.000 [Min.]

In der Fertigung selbst fallen weitere Gemeinkosten von 5.000 EUR an, in der Verwaltung des Profit Centers „Kugelschreiber" zusätzlich 20.000 EUR.

a) Ermitteln Sie das gewinnmaximale Produktionsprogramm mit dem Verfahren der **engpassbezogenen Reihung**.

b) Das Unternehmen erhält eine Anfrage des mikronesischen Fußballverbandes zur Produktion einer WM-Sonderedition 2012. Jedes Verbandsmitglied soll einen solchen Kugelschreiber (Produkt P5) erhalten. Da der Verbandspräsident aufgrund der vielen verstreuten Inseln von Mikronesien nicht genau weiß, wie viele Mitglieder der

Verband eigentlich hat, möchte er gerne ein Angebot über 200 Stück bzw. 500 Stück von **P5** erhalten.

Ermitteln Sie für *Lisa* auf der Basis der Ergebnisse von a) die **Preisuntergrenzen** für **P5** sofern das Unternehmen Edelfeder GmbH **200** oder **500** Stück herstellen würde. Jedes Produkt P5 benötigt auf der Fertigungsstelle III vier Minuten und weist Einzelkosten von 25 € auf.

7.4 Geröllsteiner AG A

Um das Image der Getränkesparte zu verbessern, unterstützt das Unternehmen Geröllsteiner AG seit Jahren ein Profi-Radteam, die „Eifel-Teufel". *Barnie Geröllsteiner* lässt dafür vier verschiedene Fanartikel produzieren (P1 bis P4) und möchte wissen, wie ein gewinnmaximales Produktionsprogramm aussähe. Die Produkte werden in zwei Werkstätten produziert, die jeweils eine Kapazitätsobergrenze haben. Ihm stehen folgende Zahlen zur Verfügung:

	maximale Absatzmenge	Gesamtkosten bei maximalem Absatz	variable Stückkosten	Verkaufs- preis
	[Stück]	[€]	[€/Stück]	[€/Stück]
Produkt				
P1	250	21.000 €	60 €	80 €
P2	300	27.500 €	60 €	95 €
P3	400	28.650 €	60 €	90 €
P4	150	20.800 €	75 €	105 €

	Bearbeitungszeiten [h]	
Produkt	Werkstatt 1	Werkstatt 2
P1	1	5
P2	5	8
P3	3	2
P4	10	5

Maximale Kapazität	5000	5000

a) Ermitteln Sie das **gewinnmaximale Produktionsprogramm** mit dem Verfahren der engpassbezogenen Reihung.

Barnie ist mit dem Ergebnis nicht so zufrieden. Er wünscht sich einen Mindestgewinn von 2.000 EUR. Dazu könnte er sich vorstellen, ein weiteres Produkt P5 herzustellen und zu verkaufen. Von ihm sind mindestens 300 herzustellen. Dessen variable Stückkosten betragen 50 EUR. Es entstünden zusätzliche Fixkosten von 2.000 EUR. Das Produkt P5 muss nur in Werkstatt 2 bearbeitet werden, wofür 5 h je Stück benötigt würden.

b) Welchen **Preis** sollte *Barnie* für **P5** verlangen?

Führen Sie dazu mit den obigen Angaben erneut eine Programmplanung durch und ermitteln Sie über diesen Weg welcher Preis für P5 nötig wäre.

Hinweise:

Gehen Sie von der Mindestmenge von 300 Stück P5 aus. Sollten bei Produktionsmengen nicht-ganze Zahlen auftreten, runden Sie diese ab und rechnen dann weiter.

Gehen Sie weiter davon aus, dass Absatzeffekte durch Absatzmixänderungen nicht auftreten und die bisherigen Fixkosten weiter bestehen.

7.5 Chronos AG C

Chronos AG stellt verschiedene mechanische Spezialteile für Armbanduhren her. Darunter fallen die Produkte A, B, C und D. Für das kommende Jahr 2004 wird mit folgenden Daten geplant:

Der Vertrieb erwartet eine maximale Absatzmenge von 1.000 Stück je Produkt. Mit folgenden Kosten- und Erlösdaten ist bisher geplant:

Produkt	Stückerlös	Einzelkosten je Stück
	[€/Stück]	[€/Stück]
A	90 €	70 €
B	42 €	32 €
C	56 €	40 €
D	22 €	12 €

Neben diesen Kosten muss in der Fertigung mit 3.000,- € Gemeinkosten und weiteren fixen Verwaltungs- und Vertriebskosten von 17.000,- € gerechnet werden.

Alle Produkte durchlaufen drei Fertigungsstellen mit folgenden Gesamtkapazitäten: Fertigungsstelle I 20.000 Stunden, Fertigungsstelle II 21.000 Stunden und Fertigungsstelle III 15.000 Stunden. Die für die Herstellung nötigen Bearbeitungszeiten der Produkte sind:

Produkt	Bearbeitungszeit in [Stunden je Stück]		
	Fert.stelle I	Fert.stelle II	Fert.stelle III
A	7	6	8
B	3	3	2
C	5	6	4
D	4	2	5

a) Ermitteln Sie das **gewinnmaximale Produktionsprogramm** und den sich ergebenden Gesamtgewinn.

b) Das Unternehmen erhält das Angebot, ein spezielles Kronrad für eine automatische Armbanduhr zu fertigen. Dieses Kronrad würde einen Stückerlös von 20 € bringen. Das Unternehmen überlegt, ob es dieses Produkt, das nur in der Fertigungsstelle III zu produzieren wäre, fertigen soll. Wie viele Fertigungsstunden darf ein Kronrad maximal verbrauchen, damit ein Kronrad einen Stückdeckungsbeitrag von 5 € erwirtschaftet?

Hinweis: Gehen Sie von den Ergebnissen aus Aufgabe a) aus.

7.6 Jura AG

Das Unternehmen Jura AG stellt Espressomaschinen im Baukastenprinzip her, das heißt, der Kunde konfiguriert seine Maschine aus den Komponenten A bis E. Das Unternehmen geht für das Jahr 2003 von folgenden Daten aus:

	Variable HK je Stück	var. Verwaltungs- u. Vertriebskosten	Fixkosten der Produktgruppe	Produktionszeiten auf den Maschinen in [min/Stück]			Absatzprognose des Vertriebs	
Plandaten Jura AG für Espressomaschinen im Baukastenprinzip für 2003								
Produkt	[€/Stück]	[€/Stück]	[€]	Maschine X	Maschine Y	Maschine Z	Preis [€/Stück]	Menge [Stück]
A	150 €	30 €	80.000 €		30		200 €	3.000
B	200 €	40 €	60.000 €	30	10		200 €	1.000
C	140 €	40 €	130.000 €			30	300 €	4.000
D	300 €	50 €	70.000 €	12	10	10	500 €	3.000
E	80 €	50 €	63.280 €			15	200 €	2.000
		Max. Kapazität der Maschinen [h]		700	1.000	1.500		

Gehen Sie davon aus, dass jedes Produkt (A bis E) eine **Mindestproduktionsmenge** von **1.000 Stück** haben muss, um nicht Absatzeinbußen bei anderen Produkten nach sich zu ziehen!

a) Ermitteln Sie das gewinnmaximale Produktionsprogramm mittels engpassorientiertem Deckungsbeitrag. Ermitteln Sie den geplanten Gewinn auf dieser Basis.

   Hinweise zur Bearbeitung:

- Beginnen Sie bei der Ermittlung der Produktionsmengen mit den o.g. Mindestmengen und erhöhen Sie sie entsprechend dem Verfahren der engpassorientierten Reihung.
- Betrachten Sie die Maschinen in der o.g. Reihenfolge.

7.7   Panther AG A

Holger Holgerström soll seinen Chef bei der Planung der Produktion unterstützen.

Die Panther AG stellt in einer Manufaktur vier verschiedene, exklusive Sportbälle für Sammler her. So bspw. den Ball „Wunder von Kern" u.a., hier kurz A, B, C, D genannt. Die bisherige Planung ergibt folgende Daten:

Produkt	Stückerlös [€/Stück]	Gesamtkosten [€]	davon Anteil variabler Kosten	Herstellmenge [Stück]	Herstell- zeit [h/Stück]	verwendeter Maschinentyp	benötigte Kapazität [h]
A	6,90 €	2.500,00 €	60%	500	3	X	1500
B	8,00 €	4.800,00 €	70%	800	4	Y	3200
C	12,00 €	3.000,00 €	70%	300	4	X	1200
D	13,50 €	6.000,00 €	50%	500	5	Y	2500

Maschine X hat eine Maximalkapazität von 2.700 Stunden, Maschine Y eine von 5.700 Stunden.

a) Wie hoch sind die fixen Kosten und der zu erwartende Gewinn nach der **Vollkostenrechnung**?

b) *Holger* schlägt vor, unter Ausnutzung der bisherigen Kapazitäten nur noch das **gewinnträchtigste Produktionsprogramm** herzustellen. Beachten Sie, dass auf Maschine X nur Produkt A und/oder Produkt C und auf Maschine Y nur Produkt B und/oder Produkt D hergestellt werden können. Wie sieht das neue Produktionsprogramm aus und wie hoch ist der Gewinn?

B. Lösungen

1   Kostenartenrechnung

1.1   Interfruit AG A

a) Ermitteln Sie die kalkulatorischen Zinsen. Gehen Sie hierbei von einem
    Zinssatz von **9 %** aus.

Für die Berechnung der kalkulatorischen Zinsen berechnen wir zunächst das durchschnittlich
in dem Jahr gebundene Kapital. Wir beginnen mit dem Anlagevermögen:

		Bebaute Grundstücke	Maschinenpark	BGA	Fuhrpark
Kalk. Buchwert 1.1.		720.000	2.700.000	820.000	375.000
Kalk. Afa-Satz		5%	15%	10%	20%
Kalk. Afa		36.000	405.000	82.000	75.000
Kalk. Buchwert 31.12.		684.000	2.295.000	738.000	300.000
Durchschnitt		702.000	2.497.500	779.000	337.500
Kalk. AV:		4.316.000	Summe aus den vier Durchschnittswerten		

Anschließend berechnen wir die Umlaufvermögenswerte:

UV		
Rohstoffe		350.000
Halb-/Fertigprodukte		1.030.000
Forderungen		710.000
Zahlungsmittel		266.000
Kalk. UV:		2.356.000

Dadurch ergibt sich das betriebsnotwendige Kapital. Hiervon muss wiederum (zinslos)
Abzugskapital herausgerechnet werden:

Betriebsnotwendiges Vermögen	6.672.000
Zinslose Lieferantenkr.	509.000
Anzahlungen Kunden	63.000
Betriebsnotwendiges Kapital	**6.100.000**

Anschließend können mithilfe des angegebenen Zinssatzes die kalkulatorischen Zinsen berechnet werden:

$$6.100.000 * 0,09 = \mathbf{549.000,00 \text{ €}}$$

b) Erläutern Sie kurz den Zweck kalkulatorischer Zinsen. Halten Sie kalkulatorische Zinsen aus betriebswirtschaftlichen Gründen für sinnvoll?

Kalkulatorische Zinsen sind eine betriebswirtschaftlich sinnvolle Komponente. Eine Verzinsung des Eigenkapitals kann damit in die Kostenrechnung aufgenommen werden. Außerdem könnten Eigenkapitalgeber ihr Kapital auch in andere Projekte, bspw. auf dem Kapitalmarkt, anlegen. Somit bilden kalkulatorische Zinsen auch Opportunitätskosten für eine andersseitige Verwendung des investierten Kapitals ab.

2 Kostenstellenrechnung

2.1 Treppenumlageverfahren

2.1.1 Cloé et Chanson A

a) Führen Sie eine innerbetriebliche Leistungsverrechnung mit dem Deckungsumlageverfahren durch. Verwenden Sie dazu die angegebenen Verrechnungspreise. Eine eventuelle Deckungsumlage ist auf die Hauptkostenstelle im Verhältnis der bis dahin aufgelaufenen Kostenstellenkosten zu verteilen.

Das Deckungsumlageverfahren (auch Gutschrift-Lastschrift-Verfahren) berücksichtigt gegenseitige Leistungsbeziehungen zwischen den Hilfskostenstellen (HiKoSt). Es wird davon ausgegangen, dass bereits Verrechnungspreise (bspw. aus historischen Daten) vorliegen. Da sich diese meist von den tatsächlichen Verrechnungspreisen unterscheiden fällt eine Deckungsumlage an. Diese muss in einem zweiten Schritt auf die Hauptkostenstellen (HaKoSt) verteilt werden.

Ausgangsdaten						
Zweigwerk Kattowice						
	Hilfskostenstellen			Hauptkostenstellen		
Kostenstelle	K1	K2	K3	K4	K5	K6
Primärkosten	2.500,00 €	5.000,00 €	1.500,00 €	20.000,00 €	4.000,00 €	6.000,00 €
Leistungs-austausch an						
von						
K1	200	100	200	1000	300	100
K2	10	10	60	500	30	70
K3	5	50	25	100	40	5
V-Preise	1,50 €	6,00 €	10,00 €			
Verrechnungen						
K1 ①	- 2.550,00 €	150,00 €	300,00 €	1.500,00 €	450,00 €	150,00 €
K2	60,00 €	-	4.020,00 €	360,00 €	3.000,00 €	180,00 €	420,00 €
K3	50,00 €	500,00 €	- 2.000,00 €	1.000,00 €	400,00 €	50,00 €
PSK+SSK ②	60,00 €	1.630,00 €	160,00 €	25.500,00 €	5.030,00 €	6.620,00 €
Deckungsumlage ③		1.850,00 €	Anteil ④	68,64%	13,54%	17,82%
			Betrag ⑤	1.269,85 €	250,48 €	329,66 €
			PSK+SSK	**26.769,85 €**	**5.280,48 €**	**6.949,66 €**

Beispielberechnungen:

Zu 1)   Berechnung der abgegebenen Leistungen der Hilfskostenstelle K1:

$$\sum_{K2}^{K6} V - Preise_{k1} * Abgegebene\ Leistungsmenge\ an\ jeweilige\ Kostenstelle$$

$$= Gesamte\ abgegebene\ Leistungsmenge$$

$$100 * 1{,}50\ € + 200 * 1{,}50\ € + 1.000 * 1{,}50\ € + 300 * 1{,}50\ € + 100 * 1{,}50\ € =$$
$$\mathbf{2.550\ €}$$

Zu 2)   Berechnung PSK + SSK:

$$PSK - abgegebene\ Leistung + SSK = Restmenge\ für\ Deckungsumlage$$

$$2.500\ € - 2.550\ € + 10 * 6\ € + 5 * 10\ € = \mathbf{60\ €}$$

Zu 3)   Berechnung gesamte Deckungsumlage:

$$\sum Summe\ Deckungsumlagen\ der\ einzelnen\ Hilfskostenstellen$$

$$60\ € + 1.630\ € + 160\ € = \mathbf{1.850\ €}$$

Zu 4)   Berechnung des Anteils an aufgelaufenen Kostenstellenkosten (in %):

$$\frac{PSK+SSK\ der\ Kostenstelle\ 4}{gesamte\ PSK+SSK} = Anteil\ an\ aufgelaufenen\ Kostenstellenkosten$$

$$\frac{25.500{,}00\ € * 100}{25.500{,}00€ + 5.030{,}00\ € + 6.620{,}00\ €} = \mathbf{68{,}64\ \%}$$

Zu 5)   Berechnung des Anteils der Übernahme der Deckungsumlage (absolut):

$$Gesamte\ Deckungsumlage * Prozentualer\ Anteil = Absoluter\ Anteil$$

$$1.850{,}00\ € * 0{,}6864 = \mathbf{1.269{,}85\ €}$$

b)   Louis hält nicht viel von diesem Verfahren der Kostenstellenrechnung. Er möchte lieber das Treppenumlageverfahren durchführen. Ermitteln Sie die Reihenfolge der Hilfskostenstellen im Treppenumlageverfahren.

Bei dem Verfahren der Treppenumlage empfängt jede Kostenstelle von der jeweils vorgelagerten Hilfskostenstelle Leistungen. Die Reihenfolge der Hilfskostenstellen lassen sich dabei folgendermaßen festlegen:

Alternative 1: Abnehmend nach Höhe der Leistungsabgabe bewertet mit Verrechnungspreisen:

Kostenstelle	Abgabe an Hilfskst.	Abgabe an Hal	Summe	Prozentual an HiKoSt	Prozentual an HaKoSt	Rang
K1	450,00 €	2.100,00 €	2.550,00 €	① 17,65%	② 82,35%	2
K2	420,00 €	3.600,00 €	4.020,00 €	10,45%	89,55%	3
K3	550,00 €	1.450,00 €	2.000,00 €	27,50%	72,50%	1

Beispielberechnungen:

Zu 1)   Berechnung des Anteils prozentual an HiKoSt: $\frac{Abgabe\ an\ HiKoSt}{Summe\ Abgaben} =$ *Prozentualer Anteil an HiKoSt*

$$\frac{450,00\ €*100}{2.550,00\ €} = 17,65\ \%$$

Zu 2)   Berechnung des Anteils prozentual an HiKoSt:

$$\frac{Abgabe\ an\ HaKoSt}{Summe\ Abgaben} = Prozentualer\ Anteil\ an\ HaKoSt$$

$$\frac{2.100,00\ €*100}{2.550,00\ €} = 82,35\ \%$$

Alternative 2: Zunehmend mit Höhe des Leistungsempfangs bewertet mit Verrechnungspreisen:

Kostenstelle	Empfang von HiKoSt	Rang
K1	110,00 €	1
K2	650,00 €	2
K3	660,00 €	3

2.1.2 Schentler Ges.m.b.H. A

a) Ermitteln Sie über das **Verfahren der Deckungsumlage** die gesamten Gemeinkosten der beiden Hauptkostenstellen K4 und K5 nach Verrechnung. Verteilen Sie eine ggf. entstehende Deckungsumlage nach der Höhe der bisherigen Gemeinkosten. Ignaz hält das Verfahren noch für zu aufwändig und möchte mit denselben Grunddaten eine **Blockumlage** auf Basis der Istkosten durchführen.

Das Deckungsumlageverfahren (auch Gutschrift-Lastschrift-Verfahren) berücksichtigt gegenseitige Leistungsbeziehungen zwischen den Hilfskostenstellen (HiKoSt). Es wird davon ausgegangen, dass bereits Verrechnungspreise (bspw. aus historischen Daten vorliegen). Da sich diese meist von den tatsächlichen Verrechnungspreisen unterscheiden fällt eine Deckungsumlage an. Diese muss in einem zweiten Schritt auf die Hauptkostenstellen (HaKoSt) verteilt werden.

Ausgangsdaten					
Zweigwerk Dornbirn					
	Hilfskostenstellen			Hauptkostenstellen	
Kostenstelle	K1	K2	K3	K4	K5
Primärkosten	3.000,00 €	5.000,00 €	2.000,00 €	20.000,00 €	10.000,00 €
Leistungs-austausch an					
von					
K1	200	100	200	1000	300
K2	10	10	60	500	30
K3	10	50	25	100	40
Verrechnungspreise	2,00 €	6,00 €	10,00 €		
K1 ①	- 3.200,00 €	200,00 €	400,00 €	2.000,00 €	600,00 €
K2	60,00 €	- 3.600,00 €	360,00 €	3.000,00 €	180,00 €
K3	100,00 €	500,00 €	- 2.000,00 €	1.000,00 €	400,00 €
PSK+SSK ②	- 40,00 €	2.100,00 €	760,00 €	26.000,00 €	11.180,00 €
Deckungsumlage		③ 2.820,00 €	Anteil ④	69,93%	30,07%
			Betrag ⑤	1.972,03 €	847,97 €
			PSK+SSK	**27.972,03 €**	**12.027,97 €**

Beispielberechnungen:

Zu 1)   Berechnung der abgegebenen Leistungen der Hilfskostenstelle K1:

$\sum_{K2}^{K6} V - Preise_{k1} * Abgegebene\ Leistungsmenge\ an\ jeweilige\ Kostenstelle$

$= Gesamte\ abgegebene\ Leistungsmenge$

$100 * 2,00\ € + 200 * 2,00\ € + 1.000 * 2,00\ € + 300 * 2,00\ € = \mathbf{3.200\ €}$

Zu 2)   Berechnung PSK + SSK:

$PSK - abgegebene\ Leistung + SSK = Restmenge\ für\ Deckungsumlage$

$3.000\ € - 3.200\ € + 10 * 6\ € + 10 * 10\ € = \mathbf{40\ €}$

Zu 3)   Berechnung gesamte Deckungsumlage:

$\sum Summe\ Deckungsumlagen\ der\ einzelnen\ Hilfskostenstellen$

$- 40\ € + 2.100\ € + 760\ € = \mathbf{2.820\ €}$

Zu 4)   Berechnung des Anteils an aufgelaufenen Kostenstellenkosten (in %):

$\frac{PSK+SSK\ der\ Kostenstelle\ 4}{gesamte\ PSK+SSK} = Anteil\ an\ aufgelaufenen\ Kostenstellenksoten$

$\frac{26.000,00\ €*100}{26.000,00€ + 11.180,00\ €} = \mathbf{69,93\ \%}$

Zu 5)   Berechnung des Anteils der Übernahme der Deckungsumlage (absolut):

$Gesamte\ Deckungsumlage * Prozentualer\ Anteil = Absoluter\ Anteil$

$2.820,00\ € * 0,6993 = \mathbf{1.972,03\ €}$

b) Ermitteln Sie ebenfalls die gesamten Gemeinkosten der beiden Hauptkostenstellen K4 und K5 nach Verrechnung, jedoch über das **Blockumlageverfahren**.

Berechnen Sie weiterhin die **Differenz zwischen den beiden Ergebnissen** für die Kostenstellen K4 und K5 sowie die Summe dieser Differenzen.

Beim Blockumlageverfahren werden die Kosten der Hilfskostenstellen im Ganzen (also im Block) auf die Hauptkostenstellen umgelegt. Das Blockumlageverfahren berücksichtigt bei der Verrechnung kein Leistungsaustausch zwischen den Hilfskostenstellen:

Ausgangsdaten						
Zweigwerk Dornbirn						
			Hilfskostenstellen		Hauptkostenstellen	
	Verrechnungssatz	K1	K2	K3	K4	K5
Primärkosten		3.000,00 €	5.000,00 €	2.000,00 €	20.000,00 €	10.000,00 €
Leistungs-abgabe an						
von						
K1 ①	2,31 €/ME *)				2.307,69 €	② 692,31 €
K2	9,43 €/ME *)				4.716,98 €	283,02 €
K3	14,29 € ME *)				1.428,57 €	571,43 €
				PSK + SSK	28.453,24 €	11.546,76 €
				Differenz ③	481,22 €	- 481,22 €
*) Es können Rundungsfehler auftreten.						

Beispielberechnungen:

Zu 1) Berechnung des Verrechnungssatz der HiKoSt 1:

$$\frac{Summe\ Gemeinkosten\ der\ HiKoSt\ 1}{Leistungsmenge\ an\ Hauptkostenstellen} = Prozentualer\ Anteil\ an\ HiKoSt$$

$$\frac{3.000,00\ €}{1.300\ ME} = 2,31\ \frac{€}{ME}$$

Zu 2) Berechnung der von K 5 beanspruchten Gemeinkosten der K 1:

$$Verrechnungssatz * Leistungsmenge\ an\ K\ 5 = Beanspruchte\ GK$$

$2,31 \frac{€}{ME} * 300 \, ME = 692,31 \, €$

Zu 3) Berechnung der Differenz:

$GK \, K4 \, mit \, Blockumlage - GK \, K4 \, mit \, Deckungsumlage = Differenz$

$28.453,24 \, € - 27.972,03 \, € = 481,22 \, €$

c) Ignaz denkt, er habe damit eine Planung und Kontrolle der Leistungsverrechnung aufgebaut, in dem er für die Deckungsumlage Planverrechnungssätze nimmt und anschließend mittels Blockumlage die Istkosten verrechnet. Die Differenz je Kostenstelle hält er für eine Plan-Ist-Abweichung. Stimmen Sie dem zu oder wie interpretieren Sie diese Berechnungen?

Die Planung und Kontrolle kann mit dieser Durchführung nicht gewährleistet werden. Zum einen werden bei der Plan-Ist-Abweichung unterschiedliche Verfahren angewendet und zum anderen müssten auch Plan-Mengen berücksichtigt werden.

2.1.3   Kästner Ski AG A

a) Führen Sie eine innerbetriebliche Leistungsverrechnung mit dem **Treppenumlageverfahren** (Stufenleiterverfahren) durch. Bestimmen Sie dazu zunächst die optimale Reihenfolge der Abrechnung der einzelnen Hilfskostenstellen.

Bei dem Verfahren der Treppenumlage empfängt jede Kostenstelle von der jeweils vorgelagerten Hilfskostenstelle Leistungen. Da wechselseitige Leistungsbeziehungen zwischen den Hilfskostenstellen bestehen muss eine künstliche Reihenfolge festgelegt werden. Hierbei gibt es folgende Möglichkeiten:

von \ an	Einheit	HKST 1	HKST 2	HKST 3	HKST 4	HKST 5		
			Hilfskostenstellen (HKST)					
HKST 1	[€]		71,43 €	- €	- €	- €	71,43 €	
HKST 2	[€]	600,00 €		1.500,00 €	350,00 €	200,00 €	2.650,00 €	Abgegebene
HKST 3	[€]	1.200,00 €	- €		- €	- €	1.200,00 €	Leistung in EUR
HKST 4	[€]	425,00 €	85,00 €	- €		- €	510,00 €	
HKST 5	[€]	4.704,00 €	3.528,00 €	- €	3.528,00 €		11.760,00 €	
		6.929,00 €	3.684,43 €	1.500,00 €	3.878,00 €	200,00 €		

Empfangene Leistungen in EUR

1. Minimiere die empfangenen Leistungen die nicht berücksichtigt werden. Reihenfolge:

HKTS 5	HKST 3	HKST 2	HKST 4	HKST 1

2. Ordne Hilfskostenstellen absteigend nach abgebebener Leistung. Reihenfolge:

HKST 5	HKST 2	HKST 3	HKST 4	HKST 1

Grundsätzlich sollen die primären Stellenkosten, sowie die eventuell zugewiesenen sekundären Stellenkosten auf die nachgelagerten Hilfs- und Hauptkostenstellen verteilt werden. Der angefallene Betrag wird durch die Leistungsmenge geteilt und anhand des in der Aufgabenstellung angegebenen Schlüssels auf die nachgelagerten Kostenstellen verteilt.

Für die erste Option ist die Vorgehensweise:

Lösung A:

Hauptkostenstellen

	PSK+SSK	Leistungs-menge*	EUR/ME	HKTS 5	HKST 3	HKST 2	HKST 4	HKST 1	Fertigung (I)	Fertigung (II)	Verwaltung u. Vertrieb (III)
HKTS 5	29.400 €	2.500	11,76 €		- €	3.528,00 €	3.528,00 €	4.704,00 €	5.880,00 €	8.232,00 €	3.528,00 €
HKST 3	12.000 €	100	120,00 €			- €		1.200,00 €	7.200,00 €	1.200,00 €	2.400,00 €
HKST 2	7.528 €	46.000	0,1637 €				1.145,57 €	1.963,83 €	2.782,09 €	1.309,22 €	327,30 €
HKST 4	8.074 €	3.900	2,0701 €					1.035,07 €	2.484,17 €	2.898,20 €	1.656,12 €
HKST 1	11.403 €	6.800	1,6769 €						7.546,04 €	2.179,97 €	1.676,90 €

*Ohne eigene oder vorgelagerte HKST

Die Leistungsmengen und PSK+SSK sind anzupassen!

Es können Rundungsfehler auftreten!

	Fertigung (I)	Fertigung (II)	Verwaltung u. Vertrieb (III)
PSK	- €	- €	5.000,00 €
SSK	25.892,30 €	15.819,39 €	9.588,32 €
Summe	25.892,30 €	15.819,39 €	14.588,32 €

Gesamt: 56.300,00 € ok

Für die zweite Reihenfolge gilt analog:

Lösung B:

Hauptkostenstellen

	PSK+SSK	Leistungs-menge*	EUR/ME	HKTS 5	HKST 2	HKST 3	HKST 4	HKST 1	Fertigung (I)	Fertigung (II)	Verwaltung u. Vertrieb (III)
HKTS 5	29.400 €	2.500	11,760 €		3.528,00 €	- €	3.528,00 €	4.704,00 €	5.880,00 €	8.232,00 €	3.528,00 €
HKST 2	7.528 €	76.000	0,09905 €			2.971,58 €	693,37 €	1.188,63 €	1.683,89 €	792,42 €	198,11 €
HKST 3	14.972 €	100	149,7158 €				- €	1.497,16 €	8.982,95 €	1.497,16 €	2.994,32 €
HKST 4	7.621 €	3.900	1,95420 €					977,10 €	2.345,04 €	2.735,88 €	1.563,36 €
HKST 1	10.867 €	6.800	1,59807 €						7.191,32 €	2.077,49 €	1.598,07 €

* Ohne eigene oder vorgelagerte HKST

Die Leistungsmengen und PSK+SSK sind anzupassen!

Es können Rundungsfehler auftreten!

	Fertigung (I)	Fertigung (II)	Verwaltung u. Vertrieb (III)
PSK	- €	- €	5.000,00 €
SSK	26.083,20 €	15.334,95 €	9.881,85 €
Summe	26.083,20 €	15.334,95 €	14.881,85 €

2.2 Gleichungsverfahren

2.2.1 Cloé et Chanson B

a) Ermitteln Sie über das **mathematische Verfahren** (Gleichungsverfahren) die Verrechnungssätze für die Kostenstellen K1, K3, K3 sowie die gesamten Kosten nach Verrechnung der Kostenstellen K4, K5 und K6.

Durch das Gleichungsverfahren (auch mathematisches Verfahren) können in der Kostenstellenrechnung exakte innerbetriebliche Verrechnungspreise ermittelt werden. Hierzu wird für jede Kostenstelle eine Gleichung erstellt. Es ergibt sich somit ein lineares Gleichungssystem. Die Variablen in diesem System stellen die zu ermittelnden Verrechnungssätze dar.

Schritt 1: Gleichungssystem aufstellen

2.000 k1 =	2.500 €	+	200 k1 +	10 k2 +	50 k3
700 k2 =	5.000 €	+	100 k1 +	100 k2 +	500 k3
1.000 k3 =	3.000 €	+	200 k1 +	0 k2 +	250 k3

Schritt 2: Alle Gleichungen werden mit 10 dividiert

200 k1 =	250 €	+	20 k1 +	1 k2 +	5 k3
70 k2 =	500 €	+	10 k1 +	10 k2 +	50 k3
100 k3 =	300 €	+	20 k1 +		25 k3

Schritt 3: Vereinfachen durch Zusammenfassen

180 k1 =	250 +			1 k2 +	5 k3
60 k2 =	500 +		10 k1 +		50 k3
75 k3 =	300 +		20 k1 +		

Schritt 4: Weitere Vereinfachungen

k1 =	1,3889 +		0,00556 k2 +	0,0278 k3
k2 =	8,3333 +	0,1667 k1 +		0,8333 k3
k3 =	4,0000 +	0,2667 k1 +		

Schritt 5: k3 in Gleichung (2) einsetzen

k2 =	8,3333 +	0,1667 k1 +	3,3333 +	0,2222222 k1
k2 =	11,6667 +	0,3889 k1		

Schritt 6: k2 in Gleichung (1) einsetzen

k1 =	1,3889 +	0,0648 +	0,0022 k1 +	0,1111111 +	0,0074 k1
0,9904 k1 =	1,5648				
k1 =	**1,5799**				

Schritt 7: Verrechnungspreise k2 und k3 berechnen

k3 =	4,4213
k2 =	12,2811

Berechnung der gesamten Kosten je Kostenstelle *)

	Verrechnungssatz	Kostenstelle	PSK	SSK	SSK + PSK
k1	1,5799	K1		⃝1	3.159,86 €
k2	12,2811	K2			8.596,76 €
k3	4,4213	K3			4.421,32 €
		K4	20.000,00 € ⃝2	8.162,61 €	28.162,61 €
		K5	4.000,00 €	896,45 €	4.896,45 €
		K6	6.500,00 €	1.440,94 €	7.940,94 €

*) Es können Rundungsfehler auftreten!

Zu 1) Berechnung der sekundären und primären Kosten der Kostenstelle 1:
 *Gesamte abgegebene Leistungsmenge K1 * Verrechnungssatz k1 =*
 Summe aus primären und sekundären Kosten
 $$2000\ ME * 1{,}5799\ \frac{€}{ME} = \mathbf{3.159{,}86\ €}$$

Zu 2) Berechnung SSK der Kostenstelle 4:

 $$\sum jeweiliger\ Verrechnungssatz * Leistungsmenge\ an\ K4$$

 $$1{,}5779\frac{€}{ME} * 1000\ ME + 12{,}2811\frac{€}{ME} * 500 + 4{,}4213\frac{€}{ME} * 100\ ME =$$
 $$\mathbf{8.162{,}61\ €}$$

b) Angenommen, die eben errechneten Kostensätze wären am Ende 2008 für das kommende Planjahr 2009 ermittelt worden. Nehmen Sie weiter an, während des Jahres 2009 könnten die Kostenstellen K1 und K2 nur 1800 respektive 500 Leistungseinheiten erbringen. Würde sich dadurch die Berechnung der Kostensätze ändern? Bitte begründen Sie Ihre Ansicht in kurzen Sätzen.

Bei gleicher Leistungsnachfrage ergäben sich zwei Engpässe (K1 und K2). Es entsteht dann ein Problem der Optimierung unter Nebenbedingungen (lineare Programmierung), das in diesem Fall bspw. durch den Simplexalgorithmus gelöst werden könnte. Dabei müsste man aber eine Zielfunktion angeben, um über Opportunitätspreise die Zurechnung zu erhalten.

Eine Zielfunktion könnte sein: Nutzen/Zahlungsbereitschaft der Leistungsempfänger, über die man einen Quasi-DB errechnen könnte.

2.2.2   Laber-Rastell GmbH

a) Führen Sie eine interne Leistungsverrechnung mit dem **Treppenumlageverfahren** durch. Ermitteln Sie dazu zunächst die **Reihenfolge der Verrechnung**.

Ermittlung der Reihenfolge:

Bei dem Verfahren der Treppenumlage empfängt jede Kostenstelle von der jeweils vorgelagerten Hilfskostenstelle Leistungen. Es liegen gegenseitige Leistungsbeziehungen der Hilfskostenstellen (HiKoSt) vor. Für die Sicherstellung eines möglichst genauen Ergebnisses müssen die Fehlbeträge so klein wie möglich gehalten werden. Die Reihenfolge der Hilfskostenstellen lassen sich dabei folgendermaßen festlegen:

Alternative 1: Bei der Ermittlung der Reihenfolge sollte diejenige Kostenstelle zuerst abgerechnet werden, welche wertmäßig die wenigsten Kosten von den anderen bezieht.

Alternative 2: Bei der Ermittlung der Reihenfolge sollte diejenige Kostenstelle zuerst abgerechnet werden, welche wertmäßig die meisten Kosten an die anderen abgibt.

	A	B	C		
	Tinten-produktion	Minen-vergoldung	Verpackung		Reihenfolge (Alternative 2)
	an				
von A	0	200	500	700	2
B	50	0	0	50	3
C	500	500	0	1.000	1
	550	700	500		
Reihenfolge (Alternative 1)	**2**	**3**	**1**		

(ILV an sich selber wird gestrichen, da irrelevant)

Reihenfolge: **C > A > B**

Treppenumlage:

		Vorkostenstellen		Endkosten-stelle
	C	A	B	D
	Verpackung	Tintenprduktion	Minen-vergoldung	Montage Füller
Einzelkosten				50.000 €
Primäre Gemeinkosten	15.000,00 €	18.000,00 €	10.000,00 €	85.000,00 €
Umlage C)	>>>	① 2.500,00 €	2.500,00 €	10.000,00 €
Zwischensumme	---	20.500,00 €	12.500,00 €	145.000,00 €
Umlage A)	---	>>> ②	4.100,00 €	16.400,00 €
Zwischensumme	---	---	16.600,00 €	161.400,00 €
Umlage B)	---	---	>>>	16.600,00 €
Endsumme	---	---	---	**178.000,00 €**

Beispielberechnungen:

Zu 1)   Berechnung der abgegebenen Leistungen von C an A in €:

   1.   Verrechnungssatz berechnen

$$\frac{Gemeinkosten}{Relevante\ Menge^*} = Verrechnungssatz$$

$$\frac{15.000,00\ €}{3.000\ ME} = 5\ \frac{€}{ME}$$

*Relevante Menge: Es werden nur die Leistungsmengen an nachfolgende Kostenstellen berücksichtigt.

   2.   Abgegebene Leistung von C an A berechnen

$Verrechnungssatz * abgegebene\ Leistungsmenge\ von\ C\ nach\ A = Leistungsmenge\ in\ €$

$$5\ \frac{€}{ME} * 500\ ME = \mathbf{2.500,00\ €}$$

Zu 2)   Berechnung PSK + SSK:

108

1. Verrechnungssatz berechnen

$$\frac{Gemeinkosten}{Relevante\ Menge^*} = Verrechnungssatz$$

$$\frac{20.500,00\ €}{1.000\ ME} = 20,50\ \frac{€}{ME}$$

*Relevante Menge: Es werden nur die Leistungsmengen an nachfolgende Kostenstellen berücksichtigt.

2. Abgegebene Leistung von C an A berechnen

*Verrechnungssatz * abgegebene Leistungsmenge von C nach A = Leistungsmenge in €*

$$20,50\ \frac{€}{ME} * 200\ ME = 4.100,00\ €$$

b) Führen Sie nun eine interne Leistungsverrechnung mit dem **mathematischen Verfahren** durch.

Durch das Gleichungsverfahren (auch mathematisches Verfahren) können in der Kostenstellenrechnung exakte innerbetriebliche Verrechnungspreise ermittelt werden. Hierzu wird für jede Kostenstelle eine Gleichung erstellt. Es ergibt sich somit ein lineares Gleichungssystem. Die Variablen in diesem System stellen die zu ermittelnden Verrechnungssätze dar.

Schritt 1: Gleichungssystem aufstellen

1.500 k1 =	18.000 € +	0 k1 +	50 k2 +	500 k3
300 k2 =	10.000 € +	200 k1 +	50 k2 +	500 k3
3.250 k3 =	15.000 € +	500 k1 +	0 k2 +	250 k3

Schritt 2: Alle Gleichungen werden mit 50 dividiert

30 k1 =	360 +	0 k1 +	1 k2 +	10 k3
6 k2 =	200 +	4 k1 +	1 k2 +	10 k3
65 k3 =	300 +	10 k1 +	0 k2 +	5 k3

Schritt 3: Vereinfachen durch Zusammenfassen

30 k1 =	360 +	0 k1 +	1 k2 +	10 k3
5 k2 =	200 +	4 k1 +		10 k3
60 k3 =	300 +	10 k1 +		

Schritt 4: Weitere Vereinfachungen

k1 =	12 +		0,0333 k2 +	0,333 k3
k2 =	40 +	0,80 k1 +		2 k3
k3 =	5 +	0,17 k1 +		

Schritt 5: k3 in Gleichung (2) einsetzen

k2 =	40 +	0,80 k1 +	10 +	0,3333 k1
k2 =	50 +	1,1333 k1		

Schritt 6: k2 in Gleichung (1) einsetzen

k1 =	12,0000 +	1,6667 +	0,0378 k1 +	1,6666667 +	0,0556 k1
0,9067 k1 =	15,3333				
k1 =	**16,9118**				

Schritt 7: Verrechnungspreise k2 und k3 berechnen

k3 =	**7,8186**
k2 =	**69,1667**

Berechnung der gesamten Kosten je Kostenstelle

	SSK + PSK		PSK		SSK
K1	25.367,65 €				
K2	20.750,00 €				
K3	25.410,54 €				
K4	128.000,00 €		85.000,00 €	1.	43.000,00 €

Beispielberechnungen:

Zu 1) Berechnung der sekundären Stellenkosten von K4 Anteils:

$\sum Verrechnungsatz\ je\ HiKoSt * geleistete\ Menge\ an\ K4\ je\ HiKoSt =$
$SSK\ 4$

$800 * 16,9118 + 200 * 69,1667 + 2.000 * 7,8186 = 43.000,00 \ €$

c) Berechnen Sie den **Fehler je Kostenstelle** des Treppenumlageverfahrens in EURO dadurch, dass Sie die verrechneten Kosten je Kostenstelle in beiden Verfahren ermitteln. Die verrechneten Kosten ergeben sich als Verrechnungssatz multipliziert mit abgegebenen Mengen.

Marvin ist der Ansicht, das mathematische Verfahren ist auch objektiv das richtige Verfahren. Stimmen Sie ihm zu? Bitte kurze Antwort.

Berechnung der Fehler je Kostenstelle

Blockumlage			
	Verrechnungssätze	abgegebene Menge	verrechnete Kosten
A	20,50 €	1.500	30.750,00 €
B	83,00 €	250	20.750,00 €
C	5,00 €	3.000	15.000,00 €

Mathemat. Verfahren			
	Verrechnungssätze	abgegebene Menge*	verrechnete Kosten
A	16,91 €	1.500	25.367,65 €
B	69,17 €	250	17.291,67 €
C	7,82 €	3.000	23.455,88 €

Somit ergibt sich als Differenz zwischen Gleichungsverfahren und Blockumlage:

Differenz		
A	-	5.382,35 €
B	-	3.458,33 €
C		8.455,88 €

Hierbei wird deutlich, dass in Kostenstelle A und B bei der ungenauen Blockumlage zu viel verrechnet wird und bei Kostenstelle C zu wenig.

Das mathematische Verfahren ist exakt, in dem Sinne, dass es alle (linearen) Leistungsbeziehungen berücksichtigt. Es ist jedoch nicht "richtig", da es immer noch fixe Gemeinkosten verrechnet und dadurch annimmt, dass diese variabel seien.

2.2.3   K Bum Ltd.

a) Führen Sie für Hop Sing eine Leistungsverrechnung mit dem **mathematischen Verfahren** (Gleichungsverfahren) durch. Ermitteln Sie auch die Summe aus primären und sekundären Kosten jeder Kostenstelle

Durch das Gleichungsverfahren (auch mathematisches Verfahren) können in der Kostenstellenrechnung exakte innerbetriebliche Verrechnungspreise ermittelt werden. Hierzu wird für jede Kostenstelle eine Gleichung erstellt. Es ergibt sich somit ein lineares Gleichungssystem. Die Variablen in diesem System stellen die zu ermittelnden Verrechnungssätze dar.

Schritt 1: Gleichungssystem aufstellen

3.500 k1 =	15.000,00 € +	0 k1 +	50 k2 +	500 k3
800 k2 =	20.000,00 € +	200 k1 +	50 k2 +	500 k3
4.750 k3 =	25.000,00 € +	500 k1 +	0 k2 +	250 k3

Schritt 2: Alle Gleichungen werden mit 50 dividiert

70 k1 =	300 +	0 k1 +	1 k2 +	10 k3
16 k2 =	400 +	4 k1 +	1 k2 +	10 k3
95 k3 =	500 +	10 k1 +	0 k2 +	5 k3

Schritt 3: Vereinfachen durch Zusammenfassen

70 k1 =	300 +	0 k1 +	1 k2 +	10 k3
15 k2 =	400 +	4 k1 +		10 k3
90 k3 =	500 +	10 k1 +		

Schritt 4: Weitere Vereinfachungen

k1 =	4,2857 +		0,01429 k2 +	0,1429 k3
k2 =	26,6667 +	0,2667 k1 +		0,6667 k3
k3 =	5,5556 +	0,1111 k1 +		

Schritt 5: k3 in Gleichung (2) einsetzen

k2 =	26,6667 +	0,2667 k1 +	3,7037 +	0,0740741 k1
k2 =	30,3704 +	0,3407 k1	

113

Schritt 6: k2 in Gleichung (1) einsetzen

k1 =	4,2857 +	0,4339 +	0,0049 k1 +	0,7936508 +	0,0159 k1
0,9793 k1 =	5,5132				
k1 =	**5,6300**				

Schritt 7: Verrechnungspreise k2 und k3 berechnen

k3 =	**6,1811**
k2 =	**32,2887**

Schritt 8: Berechnung der primären und sekundären Kosten je Kostenstelle

	SSK + PSK		PSK		SSK
K1	19.704,99 €				
K2	25.830,99 €				
K3	29.360,28 €				
K4	108.323,97 €		85.000,00 €		23.323,97 €
K5	136.676,03 €		100.000,00 €		36.676,03 €

2.2.4 Shocter & Tramble A

a) Führen Sie eine innerbetriebliche Leistungsverrechnung mit dem **Blockumlageverfahren** durch.

Bei der Anwendung des Blockumlageverfahrens werden die Kosten der Hilfskostenstellen im Ganzen (also im Block) auf die Hauptkostenstellen umgelegt. Das Blockumlageverfahren berücksichtigt bei der Verrechnung kein Leistungsaustausch zwischen den Hilfskostenstellen.

					Hauptkostenstellen			
					I	II	III	III
	PSK+SSK	Leistungsmenge an Hauptkostenstellen	EUR/ME (gerundet)		Fertigung 1	Fertigung 2	Material-wirtschaft	Verwaltung u. Vertrieb
HKST A	2.500 €	(1) 4.830	(2) 0,52 €		- €	(3) 1.300,00 €	691,60 €	520,00 €
HKST B	4.000 €	31.500	0,13 €		585,00 €	2.210,00 €	1.040,00 €	260,00 €
HKST C	12.000 €	85	141,18 €		6.353,10 €	1.411,80 €	1.411,80 €	2.823,60 €
HKST D	3.400 €	3.400	1,00 €		200,00 €	1.000,00 €	1.400,00 €	800,00 €
			PSK		29.400,00 €	14.000,00 €	2.500,00 €	25.000,00 €
Es können Rundungsfehler auftreten!			+ SSK	(4)	7.138,10 €	5.921,80 €	4.543,40 €	4.403,60 €
			Gesamt GK	(5)	36.538,10 €	19.921,80 €	7.043,40 €	29.403,60 €

Beispielberechnungen:

Zu 1) Berechnung der Leistungsmenge der HKST A an die Hauptkostenstellen:

$$Gesamte\ Leistungsmenge - Leistungsmenge\ an\ Hilfskostenstellen$$

$$= Leistungsmenge\ an\ Hauptkostenstellen$$

$$5.000\ m^2 - 150\ m^2 - 10\ m^2 - 10\ m^2 = \mathbf{4.830\ m^2}$$

Zu 2) Berechnung Verrechnungssatz pro Leistungseinheit:

$$\frac{Primäre\ und\ sekundäre\ Stellenkosten}{Leistungsmenge\ an\ Hauptkostenstellen} = Verrechnungssatz\ \left(\frac{€}{ME}\right)$$

$$\frac{2.500\ €}{4.830\ ME} = \mathbf{0,52\ \frac{€}{ME}}$$

Zu 3) Berechnung der von Fertigung 2 beanspruchten Gemeinkosten von HKST A:

$$Verrechnungssatz * Leistungsmenge\ an\ Fertigung\ 2 = Beanspruchte\ GK$$

$0,52 \, \frac{€}{ME} * 2.500 \, ME = \mathbf{1.300 \, €}$

Zu 4)   Berechnung der Summe der sekundären Stellenkosten für Fertigung 1:

$\sum$ *Summe der von Fertigung 1 beanspruchten sekundären Stellenkosten*

$\sum 585,00 \, € + 6.353,10 \, € + 200,00 \, € = \mathbf{7.138,10 \, €}$

Zu 5)   Berechnung der gesamten Gemeinkosten für Hauptkostenstelle Fertigung 1:

Primäre Stellenkosten + Sekundäre Stellenkosten = Gesamte GK

$29.400,00 \, € + 7.138,10 \, € = \mathbf{36.538,10 \, €}$

   b) Ermitteln Sie ausgehend von den Ergebnissen aus Aufgabe 3.1 die
   Zuschlagssätze für die vier Hauptkostenstellen.

Anhand der ermittelten Gemeinkosten sollen nun die Zuschlagssätze für die vier
Hauptkostenstellen ermittelt werden. Hierzu muss zunächst der Wert (Herstellkosten) für die
Bezugsbasis der Hauptkostenstelle „Verwaltung u. Vertrieb" berechnet werden.

Berechnung Herstellkosten:

Fertigungsmaterial	70.000,00 €
+ Materialgemeinkosten	7.043,40 €
+ Fertigungslöhne 1	100.000,00 €
+ Fertignungsgemeinkosten 1	36.538,10 €
+ Fertigungslöhne 2	15.000,00 €
+ Fertignungsgemeinkosten 2	19.921,80 €
= Herstellkosten der Produktion	**248.503,30 €**

Ermittlung der Zuschlagsätze:

Kostenstelle	Fertigung 1	Fertigung 2	Material	Verwaltung u. Vertrieb
Bezugsbasis	Einzelkosten	Fertigungs-stunden	Einzelkosten	Herstellkosten
	100.000,00 €	12500	70000	248.503,30 €
Zuschlagssatz:	① 36,54%	② 1,59 €	10,06%	11,83%

Zu 1)   Berechnung Zuschlagssatz Fertigung 1

$$\frac{Fertigungsgemeinkosten\ 1 * 100}{Fertigungslöhne\ 1} = Fertigungsgemeinkostenzuschlagsatz\ 1$$

$$\frac{36.538,10\ € * 100}{100.00,00\ €} = \mathbf{36,54\ \%}$$

Zu 2)   Berechnung Zuschlagssatz Fertigung 2

$$\frac{Fertigungsgemeinkosten\ 2}{Fertigungsstunden} = Fertigungsgemeinkostenzuschlagssatz\ 2$$

$$\frac{19.921,80\ €}{12.500\ h} = \mathbf{1,59\ \frac{€}{h}}$$

c) Dextra kann sich noch dunkel erinnern, dass das Blockumlageverfahren nicht das genaueste Verfahren ist. Ihr Kollege Gernot Nau behauptet, dass nur das mathematische Verfahren zu richtigen Ergebnissen führe. Sie ist sich da nicht so sicher. Stellen Sie für Dextra ein **lineares Gleichungssystem** für die Hilfskostenstellen auf mit denen das mathematische Verfahren durchzuführen wäre. Nehmen Sie weiterhin zur Ansicht von G. Nau Stellung.

Darstellung des linearen Gleichungssystems für die Hilfskostenstellen:

			PSK	k_A	k_B	k_C	k_D
Gleichung (1)	5.000	* k_A =	2500	0	8.500	5	400
Gleichung (2)	57.000	* k_B =	4000	150	0	10	100
Gleichung (3)	100	* k_C =	12000	10	10.000	0	100
Gleichung (4)	3.800	* k_D =	3400	10	7.000	10	0

Das Blockumlageverfahren lässt die Leistungsbeziehungen der Hilfskostenstellen völlig außer Acht. Beim mathematischen Verfahren können dagegen diese und beliebige andere berücksichtigt werden. Ihr Kollege hat somit Recht.

3 Kalkulation (Kostenträgerstückrechnung)

3.1 Zuschlagskalkulation

3.1.1 Klein GmbH

a) Berechnen Sie die Zuschlagssätze für beide Alternativen!

Vor der Berechnung der Zuschlagssätze müssen die jeweiligen Bezugsgrößen berechnet werden. Für die Hauptkostenstellen der Produktion sind diese für Alternative 1 bereits angegeben. Für Alternative 2 nehmen wir die Planproduktionsmenge zur Hand. Die Bezugsbasis für die Kostenstellen Verwaltung und Vertrieb sind für die Alternative 2 die Planmengen des Umsatzes und für die Alternative 1 die Herstellkosten des Umsatzes, welche nachfolgend berechnet werden:

Summe HK Produktion:	7.626.000,00 €	
Absatzmenge/Produktionsmenge	0,833333333	10.000/12.000
= HK Umsatz	6.355.000,00 €	

Alternative 1:

Kostenstelle		Einkauf	Dreherei	Endmontage	Verwaltung	Vertrieb
Einzelkosten		3.270.000 €	1.800.000 €	1.130.000 €	- €	- €
Gemeinkosten		654.000 €	320.000 €	452.000 €	300.000 €	240.000 €
Alternative 1 für die Berechnung der Zuschlagssätze						
	Bezugsgröße	Material-Einzelkosten	Fertigungs-stunden [h]	Fertigungs-gewicht [kg]	Herstellkosten des Umsatzes	Herstellkosten des Umsatzes
	Planmenge	3.270.000 €	32.000	90.400	6.355.000,00 €	6.355.000,00 €
	Zuschlagssatz:	20,00%	10,00 €	5,00 €	4,72%	3,78%

Alternative 2:

Kostenstelle		Einkauf	Dreherei	Endmontage	Verwaltung	Vertrieb
Einzelkosten		3.270.000 €	1.800.000 €	1.130.000 €	- €	- €
Gemeinkosten		654.000 €	320.000 €	452.000 €	300.000 €	240.000 €
Alternative 2 für die Berechnung der Zuschlagssätze						
	Bezugsgröße	Produktions-menge [Stck]	Fertigungs-löhne [€]	Produktions-menge [Stck]	Verkaufs-menge [Stck]	Verkaufs-menge [Stck]
	Planmenge	12.000	1.800.000 €	12.000	10.000	10.000
	Zuschlagssatz:	54,50 €	17,78%	37,67 €	30,00 €	24,00 €

b) Berechnen sie die **Selbstkosten je Stück** für die beiden Produkte **B1** und **B2** ebenfalls nach den **beiden Alternativen**!

In diesem Aufgabenteil folgt nun die Zuschlagskalkulation pro Stück. Hierbei wird für beide Alternativen eine Zuschlagskalkulation durchgeführt.

Alternative 1:

		Alternative 1	
	Basis	Produkt B1	Produkt B2
Kst. Einkauf			
MEK		408,75 €	204,375 €
MGK	20%	81,75 €	40,875 €
Kst. Dreherei			
Fert.löhne		240,00 €	105,00 €
FGK	10,00 €	40,00 €	20,00 €
Kst. Endmontage			
Fert.löhne		140,00 €	71,25 €
FGK	5,00 €	30,00 €	41,50 €
HK je Stück		**940,50 €**	**483,00 €**
Verwaltungs-GK	4,72%	44,40 €	22,80 €
Vertriebs-GK	3,78%	35,52 €	18,24 €
SK je Stück		**1.020,42 €**	**524,04 €**

Alternative 2:

		Alternative 2	
	Basis	Produkt B1	Produkt B2
Kst. Einkauf			
MEK		408,75 €	204,38 €
MGK	54,50 €	54,50 €	54,500 €
Kst. Dreherei			
Fert.löhne		240,00 €	105,00 €
FGK	17,78%	42,67 €	18,67 €
Kst. Endmontage			
Fert.löhne		140,00 €	71,25 €
FGK	37,67 €	37,67 €	37,67 €
HK je Stück		**923,58 €**	**491,46 €**
Verwaltungs-GK	30,00 €	30,00 €	30,00 €
Vertriebs-GK	24,00 €	24,00 €	24,00 €
SK je Stück		**977,58 €**	**545,46 €**

c) Ermitteln Sie den **Gesamtgewinn** und **Stückgewinn** für **B1** und **B2** je **Alternative**. Helga überlegt, welche Rechnung und welche Werte denn nun die richtigen sind. Was meinen Sie?

Anschließend erfolgt nun die Ergebnisrechnung nach dem Umsatzkostenverfahren. Wir berechnen zuerst den Umsatz und dann die Selbstkosten für die jeweiligen Produkte. Aus der Differenz ergibt sich der Gewinn. Die Rechnung muss wieder für beide Alternativen erfolgen.

Alternative 1:

Umsatzberechnung	1.200 € X 4.000 Stück	600 € X 8.000 Stück
Umsatz	**4.800.000,00 €**	**4.800.000,00 €**
Berechnung SK	1.020,42 € X 4.000 Stück	524,04 € X 8.000 Stück
SK	**4.081.666,40 €**	**4.192.333,60 €**
Gewinn	**718.333,60 €**	**607.666,40 €**
Stückzahl	4.000 Stück	8.000 Stück
Pro Stück	**179,58 €**	**75,96 €**

Alternative 2:

Umsatzberechnung	1.200 € X 4.000 Stück	600 € X 8.000 Stück
Umsatz	**4.800.000,00 €**	**4.800.000,00 €**
Berechnung SK	977,58 € X 4.000 Stück	545,46 € X 8.000 Stück
SK	**3.910.333,33 €**	**4.363.666,67 €**
Gewinn	**889.666,67 €**	**436.333,33 €**
Stückzahl	4.000 Stück	8.000 Stück
Pro Stück	**222,42 €**	**54,54 €**

Streng genommen ist keiner der beiden Ansätze richtig, da beide im Rahmen der Vollkostenrechnung Gemeinkosten variabilisieren und so gesehen "falsch" sind. Letztlich müssen sich die verantwortlichen Personen überlegen, welche Annahmen bei den Bezugsbasen für das Unternehmen plausibler sind.

3.1.2   Meditec AG A

a) Ermitteln Sie die **Stückerfolge und die Umsatzrendite je Stück** der beiden Produkte.

Hinweis: Zunächst sollten Sie dazu die Zuschlagssätze für die sieben Kostenstellen ermitteln. Für beide Produkte sind dieselben Zuschlagssätze und dasselbe Kalkulationsschema anzuwenden.

Für die Berechnung der Zuschlagssätze müssen zuerst die Bezugsbasen berechnet werden:

Materialkostenstelle 1:

Berechnung Einzelkosten MST 1	
Fertigungsmaterial 1 (Produkt A) je Stück	50,00 €
Stückzahl (Produkt A)	2.500
Fertigungsmaterial 1 (Produkt A)	**125.000,00 €**
Fertigungsmaterial 1 (Produkt B) je Stück	75,00 €
Stückzahl (Produkt B)	2.000
Fertigungsmaterial 1 (Produkt B)	**150.000,00 €**
Fertigungsmaterial 1 (Gesamt)	**275.000,00 €**

Materialkostenstelle 2:

Berechnung Einzelkosten MST 2	
Fertigungsmaterial 2 (Produkt A) je Stück	25,00 €
Stückzahl (Produkt A)	2.500
Fertigungsmaterial 2 (Produkt A)	**62.500,00 €**
Fertigungsmaterial 2 (Produkt B) je Stück	60,00 €
Stückzahl (Produkt B)	2.000
Fertigungsmaterial 2 (Produkt B)	**120.000,00 €**
Fertigungsmaterial 1 (Gesamt)	**182.500,00 €**

Für die Herstellkosten ergibt sich:

Ermittlung der Herstellkosten				
	Kostenstellen	P1	P2	Summe
MEK		187.500 €	270.000 €	457.500 €
MGK	91.500 €			91.500 €
FEK 1		100.000 €	150.000 €	250.000 €
FEK 2		75.000 €	- €	75.000 €
FEK 3		100.000 €	120.000 €	220.000 €
FGK	240.000 €			240.000 €
			Gesamte Herstellkosten	**1.334.000 €**

Anschließend können die Zuschlagsätze für die sieben Kostenstellen berechnet werden:

	Material-Kostenstellen		Fertigungskostenstellen			Verwaltungs-	Vertriebs-
	MST 1	MST 2	FST 1	FST 2	FST 3	kostenstelle	kostenstelle
Gemeinkosten:	55.000 €	36.500 €	75.000 €	120.000 €	45.000 €	160.080 €	80.040 €
Zuschlagsbasis:	Fertigungsmaterial [€]		Fertigungszeit [h]		Fertigungs-löhne [€]	Herstellkosten [€]	
Betrag	**275.000 €**	**182.500 €**	3.000	2.400	18.000 €		**1.334.000 €**
			pro Stunde	pro Stunde			
Zuschlag:	**20,00%**	**20,00%**	**25,00 €**	**50,00 €**	**250,00%**	**12,00%**	**6,00%**

Anhand der vorherigen Berechnungen kann nun die Kalkulation der beiden Produkte erfolgen:

Kalkulationsdaten	Einheit:	Produkt A	Produkt B	
Fertigungsmaterial über MST 1	[€/Stück]	50,00 €	75,00 €	
Materialgemeinkosten MST 1	**20,00%**	**10,00 €**	**15,00 €**	
Fertigungsmaterial über MST 2	[€/Stück]	25,00 €	60,00 €	
Materialgemeinkosten MST 2	**20,00%**	**5,00 €**	**12,00 €**	
Fertigungslöhne in FST 1	[€/Stück]	40,00 €	75,00 €	
Fertigungsgemeinkosten FST 1	**25 € pro Stunde**	**37,50 €**	**50,00 €**	
Fertigungslöhne in FST 2	[€/Stück]	30,00 €	- €	
Fertigungsgemeinkosten FST 2	**50 € pro Stunde**	**70,00 €**	**- €**	
Fertigungslöhne in FST 3	[€/Stück]	40,00 €	60,00 €	
Fertigungsgemeinkosten FST 3	**250,00%**	**100,00 €**	**150,00 €**	
Sondereinzelkosten der Fertigung		**- €**	**17,50 €**	lt. Aufgabe
Herstellkosten	[€/Stück]	**407,50 €**	**514,50 €**	
Verwaltungsgemeinkosten		**48,90 €**	**61,74 €**	
Vertriebsgemeinkosten		**24,45 €**	**30,87 €**	
Sondereinzelkosten des Vertriebs		20,00 €	30,00 €	lt. Aufgabe
Selbstkosten		**500,85 €**	**637,11 €**	

Die Umsatzrendite pro Stück ergibt sich folgendermaßen:

Erlöse je Stück	[€/Stück]	540 €	720 €	lt. Aufgabe
Stückgewinn / -verlust	[€/Stück]	39,15 €	82,89 €	
Umsatzrendite		7,82%	13,01%	

b) Ermitteln Sie überschlägig rechnerisch die Auswirkung einer Einstellung des betreffenden Produkts auf den Unternehmensgewinn auf Basis der Daten 2009. Alle Produkte wurden 2009 im Übrigen verkauft.

Welchen Denkfehler macht der Vertriebsleiter vermutlich?

In diesem Aufgabenteil sollen nun die Folgen einer Einstellung des Produktes A auf den Unternehmenserfolg aufgezeigt werden. Wir berechnen hierzu den Stückdeckungsbeitrag des Produktes A. Der Stückdeckungsbeitrag ergibt sich durch die Differenz aus Stückerlös und variablen Kosten je Stück:

Erlös je Stück:	540,00 €	Erlös
MEK	75,00 €	variable Kosten
Löhne	110,00 €	variable Kosten
SEK Fertigung	- €	variable Kosten
SEK Vertrieb	20,00 €	variable Kosten
DB je Stück	335,00 €	
Stückzahl	2.500 Stück	
DB Gesamt	837.500,00 €	

Dem Unternehmen entginge ein Deckungsbeitrag in Höhe von 837.500,00 €. Der Gewinn würde dementsprechend sinken. Der Denkfehler des Vertriebsleiters besteht darin, dass er annimmt die Gemeinkosten wären variabel und würden bei Produkteinstellung wegfallen. Dem ist jedoch nicht so.

3.1.3   Zweistein & Cie GmbH A

a) Ermitteln Sie die **Stückerfolge** der beiden Produkte.

Hinweis: Zunächst sollten Sie dazu die Zuschlagssätze für die sieben Kostenstellen ermitteln. Für beide Produkte sind dieselben Zuschlagssätze und dasselbe Kalkulationsschema anzuwenden

Materialkostenstelle 1:

Berechnung Einzelkosten MST 1	
Fertigungsmaterial 1 (Produkt A) je Stück	50,00 €
Stückzahl (Produkt A)	2.500
Fertigungsmaterial 1 (Produkt A)	**125.000,00 €**
Fertigungsmaterial 1 (Produkt B) je Stück	75,00 €
Stückzahl (Produkt B)	2.000
Fertigungsmaterial 1 (Produkt B)	**150.000,00 €**
Fertigungsmaterial 1 (Gesamt)	**275.000,00 €**

Materialkostenstelle 2:

Berechnung Einzelkosten MST 2	
Fertigungsmaterial 2 (Produkt A) je Stück	25,00 €
Stückzahl (Produkt A)	2.500
Fertigungsmaterial 2 (Produkt A)	**62.500,00 €**
Fertigungsmaterial 2 (Produkt B) je Stück	60,00 €
Stückzahl (Produkt B)	2.000
Fertigungsmaterial 2 (Produkt B)	**120.000,00 €**
Fertigungsmaterial 1 (Gesamt)	**182.500,00 €**

Für die Herstellkosten ergibt sich:

Ermittlung der Herstellkosten				
	Kostenstellen	P1	P2	Summe
MEK		187.500 €	270.000 €	457.500 €
MGK	75.000 €			75.000 €
FEK 1		100.000 €	150.000 €	250.000 €
FEK 2		75.000 €	- €	75.000 €
FEK 3		100.000 €	120.000 €	220.000 €
FGK	330.000 €			330.000 €
		Gesamte Herstellkosten		**1.407.500 €**

Anschließend können die Zuschlagsätze für die sieben Kostenstellen berechnet werden:

	Material-Kostenstellen		Fertigungskostenstellen			Verwaltungs-	Vertriebs-	
	MST 1	MST 2	FST 1	FST 2	FST 3	kostenstelle	kostenstelle	Summe:
Gemeinkosten:	50.000 €	25.000 €	120.000 €	150.000 €	60.000 €	54.000 €	86.400 €	545.400 €
Zuschlagsbasis	Fertigungsmaterial [€]		Fertigungszeit [h]		Fertigungs-löhne [€]	Herstellkosten [€]		
Betrag	275.000 €	182.500 €	3.000	2.400	18.000 €	1.407.500 €		
			pro Stunde	pro Stunde				
Zuschlag:	18,18%	13,70%	40,00 €	62,50 €	333,33%	3,84%	6,14%	

Anhand der vorherigen Berechnungen kann nun die Kalkulation der beiden Produkte erfolgen:

	Einheit:	Produkt A	Produkt B	
Fertigungsmaterial über MST 1	[€/Stück]	50,00 €	75,00 €	
Materialgemeinkosten MST 1	**18,18%**	**9,09 €**	**13,64 €**	
Fertigungsmaterial über MST 2	[€/Stück]	25,00 €	60,00 €	
Materialgemeinkosten MST 2	**13,70%**	**3,42 €**	**8,22 €**	
Fertigungslöhne in FST 1	[€/Stück]	40,00 €	75,00 €	
Fertigungsgemeinkosten FST 1	**40 € pro Stunde**	**60,00 €**	**80,00 €**	
Fertigungslöhne in FST 2	[€/Stück]	30,00 €	- €	
Fertigungsgemeinkosten FST 2	**62,5 € pro Stunde**	**87,50 €**	**- €**	
Fertigungslöhne in FST 3	[€/Stück]	40,00 €	60,00 €	
Fertigungsgemeinkosten FST 3	**333,33%**	**133,33 €**	**200,00 €**	
Sondereinzelkosten der Fertigung		**- €**	**17,50 €**	lt. Aufgabe
Herstellkosten	**[€/Stück]**	**478,35 €**	**589,36 €**	
Verwaltungsgemeinkosten	**3,84%**	**18,35 €**	**22,61 €**	
Vertriebsgemeinkosten	**6,14%**	**29,36 €**	**36,18 €**	
Sondereinzelkosten des Vertriebs		**20,00 €**	**40,00 €**	lt. Aufgabe
Selbstkosten		**546,06 €**	**688,14 €**	

Es ergibt sich für den Erlös pro Stück:

Erlöse je Stück	[€/Stück]	680 €	680 €	lt. Aufgabe
Stückgewinn / -verlust	**[€/Stück]**	**133,94 €**	**- 8,14 €**	

b) Überrascht stellt *Susi* fest, dass ein Produkt Verluste bringt. Der Vertriebsleiter des Unternehmens ist *Rudi Ratlos*. Er empfiehlt, einfach die Preise zu erhöhen. *Susi* ist entsetzt und weist ihn darauf hin, dass bei höheren Preisen viele Kunden abspringen werden. *Rudi* kramt eine alte Marktstudie aus in der es heißt: Bei einem Preis von 730,- EUR werden 100 Stück weniger verkauft. Ermitteln Sie für *Susi* die **Preiselastizität** der Nachfrage für das betreffende Produkt. Sollten die Preise erhöht werden?

Die Preiselastizität berechnet sich folgendermaßen:

$$\frac{\dfrac{\Delta Preis}{Preis}}{\dfrac{\Delta\,Menge}{Menge}}$$

	Menge	Preis
aktuell	2.000	680 €
Änderung	100,00	50 €
ergibt %	5,00%	-7,35%
Preiselastizität		**- 1,47**

Eine Preiserhöhung könnte sinnvoll sein. Es ist jedoch zu bedenken, dass sich die Selbstkosten pro Stück insbesondere aus den Zuordnungen der Gemeinkosten ergeben. Bei einem Rückgang der Produktionsmenge (durch Preiserhöhung) verteilen sich die Gemeinkosten auf eine kleinere Menge. Die Selbstkosten pro Stück würden dadurch steigen.

3.1.4   Mär-Clean AG

a) Welche Alternative sollte Rudi Redlich vorziehen? Um welchen Betrag ist sie günstiger als die andere Alternative?

Für die Beurteilung der beiden Alternativen berechnen wir die jeweiligen Gewinne welche sich aus den Produktionsprogrammen ergeben. Wir benützen hierzu folgende Gewinnformel:

$$Gewinn = Preis * Menge - var.Kosten * Menge - fixe Kosten$$

Alternative A1				
Produktionsmengen	[Stück]	200	100	Summe
Erlöse gesamt	[€]	52.000 €	26.000 €	78.000 €
Variable Kosten	[€]	30.000 €	18.000 €	48.000 €
Fixe Kosten				28.800 €
Gewinn:				**1.200 €**

Alternative A2				
Produktionsmengen	[Stück]	100	200	Summe
Erlöse gesamt	[€]	26.000 €	52.000 €	78.000 €
Variable Kosten	[€]	15.000 €	36.000 €	51.000 €
Fixe Kosten				28.800 €
Gewinn:				**- 1.800 €**

Das Produktionsprogramm der Alternative 1 ist vorteilhafter. Dies zeigt sich schon auf Ebene der variablen Kosten. Die Erlöse und der Fixkostenblock sind identisch. Bei Verwendung der einstufigen DB-Rechnung (Fixkosten als ein Kostenblock, direct costing) gibt es keine Gefahr einer Fehlentscheidung.

b) Bestimmen Sie die Stück-Vollkosten der beiden Produkte unter Verwendung der Zuschlagskalkulation. Bestimmen Sie sie getrennt für die beiden Alternativen A1 und A2. Welche Alternative wäre jetzt günstiger? Führt diese Vorgehensweise zur Gefahr von Fehlentscheidungen?

Im Rahmen der Zuschlagskalkulation bestimmen wir im ersten **Schritt** die Gemeinkostenzuschlagsätze:

	Einheit	Alternative 1	Alternative 2
Material-EK	[€]	28.000 €	35.000 €
Material-GK	[€]	2.800 €	2.800 €
Material-GK%	[%]	10,00%	8,00%
Fertigungs-EK	[€]	20.000 €	16.000 €
Fertigungs-GK	[€]	26.000 €	26.000 €
Fertigungs-GK%	[%]	130,00%	162,50%

Anschließend führen wir die Zuschlagskalkulation mit den eben errechneten Gemeinkostenzuschlagsätzen durch:

		Kalkulation Alternative 1		
		P1: "Amtrak"	P2: "Krokodil"	
MEK	[€/Stück]	70,00 €	140,00 €	
MGK 10%	[€/Stück]	7,00 €	14,00 €	
FEK	[€/Stück]	80,00 €	40,00 €	
FGK 130%	[€/Stück]	104,00 €	52,00 €	
Selbstkosten	[€/Stück]	261,00 €	246,00 €	**Summe:**
Gesamtkosten	[€]	52.200 €	24.600 €	**76.800 €**

		Kalkulation Alternative 2		
		P1: "Amtrak"	P2: "Krokodil"	
MEK	[€/Stück]	70,00 €	140,00 €	
MGK 10%	[€/Stück]	5,60 €	11,20 €	
FEK	[€/Stück]	80,00 €	40,00 €	
FGK 130%	[€/Stück]	130,00 €	65,00 €	
Selbstkosten	[€/Stück]	285,60 €	256,20 €	**Summe:**
Gesamtkosten	[€]	28.560 €	51.240 €	**79.800 €**

Dieses Vorgehen führt zur selben Entscheidung wie im vorherigen Aufgabenteil. Der Grund hierfür liegt darin begründet, dass wir für jede Alternative (Produktionsprogramm) eine Berechnung durchführen. Die Kostenschlüsselung wird somit neutralisiert. Dieses Verfahren ist jedoch sehr zeitintensiv.

c) Sein kaufmännischer Assistent Dieter Oof weist Redlich darauf hin, dass ein Vorgehen wie unter b) viel zu aufwändig sei. Er schlägt vor, die Alternative 2 als Basisalternative zu verwenden und die beiden Alternativen anhand der so ermittelten Vollkosten zu bewerten. Führt diese Vorgehensweise zur Gefahr einer Fehlentscheidung?

Hier soll nun die Alternative 2 als Basisalternative dienen. Für die Alternative 2 ergeben sich somit Gesamtkosten in Höhe von **79.800 €**. Wir berechnen die Gesamtkosten der Alternative 1 mit den Kostensätzen für Basisalternative 2:

Kosten für A1:				
			P1: "Amtrak"	P2: "Krokodil"	
Produktionsmengen	[Stück]		200	100	
Selbstkosten (wie bei A2)	[€/Stück]		285,60 €	256,20 €	**Summe**
Gesamtkosten A1	[€]		57.120,00 €	25.620,00 €	**82.740,00 €**

Wie wir sehen können, führt dieses Verfahren zu einer Fehlentscheidung. Die Kostensätze einer Basisalternative dürfen in der Vollkostenrechnung nicht zur Ermittlung der Vorteilhaftigkeit gegenüber einer anderen Alternative herangezogen werden.

d) Redlich entscheidet sich schließlich für Alternative 1. Sein Assistent D. Oof kommt begeistert von der Spielwarenmesse zurück und berichtet, dass man ein zu P1 identisches Produkt zu einem Stückpreis von € 190,- fremdbeziehen könnte und meint: „Chef, da können wir einen sauberen Schnitt machen und eine Menge Geld sparen!". Welche Auswirkungen hätte eine solche Entscheidung auf die Kosten- und Erfolgssituation von Redlich, wenn er 200 Stück fremd bezieht?

Der Gewinn für das Produktionsprogramm der Alternative 1 beträgt 1.200 € (siehe Aufgabenteil a). Bei Fremdbezug für Produkt 1 würden variable Kosten in Höhe von 30.000 € wegfallen (200 Stück X 150 €). Es kämen jedoch Kosten für den Fremdbezug in Höhe von 38.000 € (200 Stück X 190 €) dazu. D. Oof hat die variablen Bezugskosten mit den Stückkosten auf Vollkostenbasis verglichen!

3.2 Äquivalenzziffernkalkulation

3.2.1 Malfrutta GmbH

a) Ermitteln Sie für *Dextra* über eine **Äquivalenzziffernkalkulation** die Herstellkosten je Glas bzw. insgesamt für die einzelnen Sorten.

Zu Beginn müssen zuerst die Kosten den drei Bereichen Fruchtgehalt, Verpackung und sonstigen Herstellkosten zugeordnet werden.

Kosten Fruchtgehalt:

Früchte	210.000 €
Gelierzucker	56.000 €
Konservierungsstoffe	30.000 €
Geschmacksverfeinerungsstoffe	23.340 €
Summe:	**319.340 €**

Kosten Verpackung:

Gläser	40.100 €
Etiketten	7.500 €
Kartons	5.600 €
Summe:	**53.200 €**

Kosten sonstige Herstellkosten:

Löhne	145.000 €
Lagerkosten	30.000 €
kalkulatorische Abschreibung	126.200 €
Summe:	**301.200 €**

Anschließend können die Kosten der Bereiche auf die verschiedenen Sorten verteilt werden. Die Äquivalenzziffern dienen hierbei als Kostengewichte.

Sorte	Marmelade	Herstell-menge	ÄZ x Herstell-menge	Kostensatz
	Fruchtgehalt			
A	33	17.000 ①	561.000 ③	1,65 €
B	18	12.000	216.000	0,90 €
C	39	50.000	1.950.000	1,95 €
D	24	61.000	1.464.000	1,20 €
E	48	24.000	1.152.000	2,40 €
F	60	25.000	1.500.000	3,00 €
		Summe:	6.843.000	
		Kosten Frucht	319.340 €	
		je Recheneinheit ②	0,0500 €	
		(Achtung, gerundet!)		

Beispielberechnungen:

Zu 1) Berechnung der Rechnungseinheiten für Sorte A:

$$Äquivalenzziffer * Herstellmenge = Rechnungseinheiten$$

$$33 * 17.000 = \mathbf{561.000}$$

Zu 2) Kosten je Rechnungseinheit:

$$\frac{Kosten\ Fruchtgehalt}{\sum Rechnungseinheiten} = Verrechnungssatz$$

$$\frac{319.340\ €}{6.843.000} = \mathbf{0,05\ €}\ (gerundet)$$

Zu 3) Berechnung Kostensatz:

$$Verrechnungssatz\ Sorte\ A * Äquivalenzziffer = Kostensatz$$

$$0,05 * 33 = \mathbf{1,65\ €}$$

Analog kann dies nun für die Bereiche Verpackung und sonstige Herstellkosten durchgeführt werden:

Sorte	Verpackung				
	Bedruckte Fläche	Herstell-menge	ÄZ x Herstell-menge	Kostensatz	
A		21	17.000	357000	0,21 €
B		21	12.000	252000	0,21 €
C		21	50.000	1050000	0,21 €
D		21	61.000	1281000	0,21 €
E		35	24.000	840000	0,35 €
F		35	25.000	875000	0,35 €
			Summe:	4.655.000	
			Kosten Verpack.	53.200 €	
			je Recheneinheit	0,0100 €	
			(Achtung, gerundet!)		

Sorte	Sonst. Herstellk.				
	Durchlaufzeit	Herstell-menge	ÄZ x Herstell-menge	Kostensatz	
A		4,0	17.000	68000	1,20 €
B		4,5	12.000	54000	1,35 €
C		2,0	50.000	100000	0,60 €
D		6,0	61.000	366000	1,80 €
E		9,0	24.000	216000	2,70 €
F		8,0	25.000	200000	2,40 €
			Summe:	1.004.000	
			Kosten Verpack.	301.200 €	
			je Recheneinheit	0,3000 €	
			(Achtung, gerundet!)		

Durch die Addition der Kostensätze ergeben sich folgende Kostensätze pro Glas:

Sorte	A	B	C	D	E	F
Gesamt je Glas	3,06 €	2,46 €	2,76 €	3,21 €	5,45 €	5,75 €

Durch Multiplikation der Kostensätze mit den Mengen ergeben sich Kosten pro Sorte i. H. v.:

Sorte	A	B	C	D	E	F
Gesamt je Sorte	52.020,00 €	29.520,00 €	138.000,00 €	195.810,00 €	130.800,00 €	143.750,00 €

b) Dextra vergleicht die Kosten der Sorten A und B mit den Nettoverkaufspreisen. Beide werden zu 3,- EUR je Glas verkauft. Schnell rennt sie zu Ihrem Vorgesetzten und teilt ihm mit: „Chef, Chef, bei Sorte A haben wir einen negativen Deckungsbeitrag! Da sollten wir sofort die Produktion einstellen!" Ihr Chef glaubt ihr aus Erfahrung nicht so ganz. Nehmen Sie hierzu Stellung.

Die Rechnung von Dextra:			
Sorte			
A	Erlös	Kosten (s.o.)	Deckungsbeitrag
B		3	3,06 € |- 0,06 €
		3	2,46 €	0,54 €

Das ist natürlich unsinnig! Wenn überhaupt ermittelt sie einen Gewinn pro Glas (da Vollkostenrechnung). Dieser hängt hier jedoch auch von der Rundung ab, wie man leicht sieht. Weiterhin wissen wir nichts über die nicht abbaubaren Fixkosten, zumindest jedoch wird es positive Fixkosten geben, so dass eine Produktionseinstellung zu einem noch schlechteren Ergebnis führen dürfte!

3.2.2   Interbière S.A.

a) Ermitteln Sie für Angelina über eine **Äquivalenzziffernkalkulation** die Herstellkosten je Flasche bzw. insgesamt für die einzelnen Sorten.

Zu Beginn müssen zuerst die Kosten den drei Bereichen Hopfenanteil, Verpackung und sonstigen Herstellkosten zugeordnet werden.

Kosten Hopfenanteil:

Hopfen	210.000 €
Malz	56.000 €
Reis	30.000 €
Geschmacksverstärker	23.340 €
Summe:	**319.340 €**

Kosten Verpackung:

Flaschen	40.100 €
Etiketten	7.500 €
Kartons	5.600 €
Summe:	**53.200 €**

Kosten sonstige Herstellkosten:

Löhne	145.000 €
Lagerkosten	30.000 €
kalk. Abschreibung	126.200 €
Summe:	**301.200 €**

Anschließend können die Kosten der Bereiche auf die verschiedenen Sorten verteilt werden. Die Äquivalenzziffern dienen hierbei als Kostengewichte.

Sorte	Zutaten				
	Hopfenanteil	Herstell-menge	ÄZ x Herstell-menge	Kostensatz
A	15	17.000	255.000	**2,2980 €**
B	7	12.000	84.000	**1,0724 €**
C	11	50.000	550.000	**1,6852 €**
D	8	61.000	488.000	**1,2256 €**
E	17	24.000	408.000	**2,6044 €**
F	12	25.000	300.000	**1,8384 €**
		Summe:	2.085.000	
		Kosten Frucht	319.340 €	
		je Recheneinheit	0,1532 €	

Analog kann dies nun für die Bereiche Verpackung und sonstige Herstellkosten durchgeführt werden:

Sorte	Verpackung				
	Bedruckte Fläche	Herstell-menge	ÄZ x Herstell-menge	Kostensatz
A	21	17.000	357000	**0,2394 €**
B	21	12.000	252000	**0,2394 €**
C	21	50.000	1050000	**0,2394 €**
D	21	61.000	1281000	**0,2394 €**
E	35	24.000	840000	**0,3990 €**
F	35	25.000	875000	**0,3990 €**
		Summe:	4.655.000	
		Kosten Verpack.	53.200 €	
		je Recheneinheit	0,0114 €	

Sorte	Sonst. Herstellk.			
	Durchlaufzeit	Herstell-menge	ÄZ x Herstell-menge	Kostensatz
A	2,0	17.000	34000	**1,7090 €**
B	2,5	12.000	30000	**2,1363 €**
C	1,0	50.000	50000	**0,8545 €**
D	1,5	61.000	91500	**1,2818 €**
E	3,0	24.000	72000	**2,5635 €**
F	3,0	25.000	75000	**2,5635 €**
		Summe:	352.500	
		Kosten Verpack.	301.200 €	
		je Recheneinheit	0,8545 €	

Durch die Addition der Kostensätze ergeben sich folgende Kostensätze pro Flasche:

Sorte	A	B	C	D	E	F
Gesamt je Flasche	4,25 €	3,45 €	2,78 €	2,75 €	5,57 €	4,80 €

Durch Multiplikation der Kostensätze mit den Mengen ergeben sich Kosten pro Sorte i. H. v. (Rundungsdifferenzen möglich):

Sorte	A	B	C	D	E	F
Gesamt je Sorte	72.188,80 €	41.376,60 €	138.955,00 €	167.551,75 €	133.605,60 €	120.022,50 €

b) *Angelina* vergleicht die Kosten der Sorten A und B mit den Nettoverkaufspreisen. Beide werden zu 4,- EUR je Flasche verkauft. Sie überlegt, ob man bei einem Produkt nicht die Produktion einstellen sollte.

Was meinen Sie? Nehmen Sie hierzu Stellung!

Sorte	Erlös	Kosten (s.o.)	Deckungsbeitrag	
A	4,00 €	4,25 €	-	**0,25 €**
B	4,00 €	3,45 €		**0,55 €**

Das ist natürlich unsinnig! Wenn überhaupt ermittelt sie einen Gewinn pro Flasche (da Vollkostenrechnung). Dieser hängt hier jedoch auch von der Rundung ab, wie man leicht sieht. Weiterhin wissen wir nichts über die nicht abbaubaren Fixkosten, zumindest jedoch wird es positive Fixkosten geben, so dass eine Produktionseinstellung zu einem noch schlechteren Ergebnis führen dürfte!

3.3 Kuppelkalkulation

3.3.1 Huóbǎo Inc.

a) Ermitteln Sie die Herstellkosten und Gewinne der Endprodukte mittels der **retrograden Marktwertmethode**.

Hinweis: Sollte bei einem Produkt ein negativer Marktwert entstehen, so verteilen Sie die Kosten der Vorprodukte/-prozesse auf Basis der Absolutbeträge der entsprechenden Marktwerte.

Bei der Kuppelkalkulation entstehen aus einem Ausgangsprodukt in der Produktion verschiedene Erzeugnisse. Bei Anwendung der Marktwertmethode verteilt man die Kosten anhand der Marktwerte auf die einzelnen Produkte.

Zuerst werden für die Zwischenprodukte fiktive Marktwerte ermittelt. Dies geschieht über die Erzeugnisse, welche aus dem Zwischenprodukt münden:

MW L	MW N	140.000,00 €		MW M	MW O	200.000,00 €
	./. Kosten K7	- 50.000,00 €			./. Kosten K8	- 40.000,00 €
	= MW L	**90.000,00 €**			= MW M	**160.000,00 €**
MW K	MW L + M	250.000,00 €		MW G	MW I	60.000,00 €
	./. Kosten K6	- 70.000,00 €			./. Kosten K5	- 30.000,00 €
	= MW K	**180.000,00 €**			= MW G	**30.000,00 €**
MW F	MW G + H	110.000,00 €				
	./. Kosten K4	- 140.000,00 €				
	= MW F	**- 30.000,00 €**				
MW E	MW F + K	150.000,00 €		MW B	MW C + D	220.000,00 €
	./. Kosten K3	- 90.000,00 €			./. Kosten K2	- 65.000,00 €
	./. Kosten J (sic!)	- 55.000,00 €			= MW B	**155.000,00 €**
	= MW E	**5.000,00 €**				

Anschließend können die Kosten auf die Produkte verteilt werden. Hierbei beginnt man mit der ersten Stufe:

Kosten B+E	Kosten K1 + A	410.000,00 €			
	Anteil B ①	96,88%	397.188 €	= Kosten B	
	Anteil E	3,13%	12.813 €	= Kosten E	

Beispielrechnung:

Zu 1)   Berechnung des Anteils der Kosten für Zwischenprodukt B:

$$\frac{Marktwert\ B}{Marktwert\ B + Marktwert\ E} = Kostenanteil$$

$$\frac{155.000\ €}{155.000\ € + 5.000\ €} = \textbf{96,88\ \%}$$

Verteilung der Kosten auf Produkte C und D:

Kosten C+D	Kosten B + K2	462.188,00 €			Gewinn
	Anteil C	36,36%	168.068 €	= Kosten C	- 88.068,00 €
	Anteil D	63,64%	294.120 €	= Kosten D	-154.120,00 €

Verteilung der Kosten J, F und K:

Kosten F, J, K	Kosten E + K3 + J	157.813 €			
	Anteil F ①	14,29%	22.545 €	= Kosten F	
	Anteil K	85,71%	135.268 €	= Kosten K	

Beispielrechnung

Zu 1)   Berechnung des Anteils der Kosten für Zwischenprodukt F:

$$\frac{absoluter\ Marktwert\ F}{abslouter\ Marktwert\ F + Marktwert\ K} = Kostenanteil$$

$$\frac{30.000\ €}{30.000\ € + 180.000\ €} = \textbf{14,29\ \%}$$

Verteilung der Kosten auf G und H:

Kosten G + H	Kosten F + K4	162.545,00 €			Gewinn
	Anteil G	27,27%	44.330 €	= Kosten G	
	Anteil H	72,73%	118.215 €	= Kosten H	- 38.215,00 €

Verteilung der Kosten auf Produkt I:

Kosten I	Kosten G + K5	74.330 €	Gewinn:	-	14.330 €	

Verteilung der Kosten auf L und M:

Kosten L + M	Kosten K + K6	205.268,00 €				
	Anteil L	36,00%	73.896 €	= Kosten L		
	Anteil M	64,00%	131.372 €	= Kosten M		

Verteilung der Kosten auf N:

Kosten N	Kosten L+K7	123.896 €	Gewinn:	16.104,00 €	

Verteilung der Kosten auf O:

Kosten O	Kosten M + K8	171.372 €	Gewinn:	28.628 €	

Der Gesamtgewinn beträgt - 250.001,00 €.

b) *Li Si* erhält Besuch von ihrem früheren Kollegen *Jim Knopf*. Er ist der Ansicht, dass die retrograde Marktwertmethode und die mehrstufige Divisionskalkulation im Grunde dasselbe seien, da bei beiden Verfahren Kosten schrittweise kumuliert werden. *Li Si* ist sich da nicht so sicher, da *Jim* an der Hochschule Lummerland studiert hat, die nicht den allerbesten Ruf genießt.

Nehmen Sie dazu Stellung!

Alle Verfahren haben gewisse Rechenwege gemeinsam, das heißt jedoch nicht, dass sie auch inhaltlich dasselbe tun. Es ist richtig, dass beide schrittweise Kosten kumulieren. Bei der mehrstufigen Divisionskalkulation existiert nur ein (Zwischen-) Produkt je Stufe, dem alle Kosten der Stufe zugerechnet werden. Bei der Marktwertmethode werden die Kosten je Stufe (=je Kuppelprozess) letztlich willkürlich auf meist mehrere Produkte verteilt (Ausnahme hier: K5, K7, K8). Der Unterschied liegt letztlich in den zugrundeliegenden Produktionsprozessen,

141

die unterschiedlichen Rechenverfahren plausibel erscheinen lassen. Insoweit hat Jim das nicht richtig verstanden.

3.3.2   Cloé et Chanson C

a) Ermitteln Sie die Herstellkosten und Gewinne der Endprodukte mittels der **retrograden Marktwertmethode**. Bitte runden Sie Ihre Ergebnisse auf volle EURO.

Hinweis: Sollte bei einem Produkt ein negativer Marktwert entstehen, so verteilen Sie die Kosten der Vorprodukte/-prozesse auf Basis der Absolutbeträge der entsprechenden Marktwerte.

Bei der Kuppelkalkulation entstehen aus einem Ausgangsprodukt in der Produktion verschiedene Erzeugnisse. Bei Anwendung der Marktwertmethode verteilt man die Kosten anhand der Marktwerte auf die einzelnen Produkte.

Zuerst werden für die Zwischenprodukte fiktive Marktwerte ermittelt. Dies geschieht über die Erzeugnisse, welche aus dem Zwischenprodukt münden:

MW L	MW P	200.000,00 €		MW M	MW O	180.000,00 €
	./. Kosten K8	- 40.000,00 €			./. Kosten K9	- 40.000,00 €
	= MW N	160.000,00 €			**= MW M**	**140.000,00 €**
	./. Kosten K7	- 40.000,00 €				
	= MW L	**120.000,00 €**				
MW K	MW L + M	260.000,00 €		MW G	MW I	60.000,00 €
	./. Kosten K6	- 20.000,00 €			./. Kosten K5	- 120.000,00 €
	= MW K	**240.000,00 €**			**= MW G**	**- 60.000,00 €**
MW F	MW G + H	100.000,00 €				
	./. Kosten K4	- 120.000,00 €				
	= MW F	**- 20.000,00 €**				
MW E	MW F + J + K	360.000,00 €		MW B	MW C + D	220.000,00 €
	./. Kosten K3	- 100.000,00 €			./. Kosten K2	- 60.000,00 €
	= MW E	**260.000,00 €**			**= MW B**	**160.000,00 €**

Anschließend können die Kosten auf die Produkte verteilt werden. Hierbei beginnt man mit der ersten Stufe:

Kosten B+E	Kosten K1 + Weintrauben	410.000,00 €			
	Anteil B	(1) 38,10%	**156.190 €**	**= Kosten B**	
	Anteil E	61,90%	**253.810 €**	**= Kosten E**	

Beispielrechnung:

Zu 1)   Berechnung des Anteils der Kosten für Zwischenprodukt B:

$$\frac{Marktwert\ B}{Marktwert\ B + Marktwert\ E} = Kostenanteil$$

$$\frac{160.000\ €}{160.000\ € + 260.000\ €} = \textbf{\textit{38,10 \%}}$$

Verteilung der Kosten auf Produkte C und D:

Kosten C+D	Kosten B + K2	216.190,00 €			Gewinn
	Anteil C	36,36%	**78.615 €**	**= Kosten C**	1.385,00 €
	Anteil D	63,64%	**137.575 €**	**= Kosten D**	2.425,00 €

Verteilung der Kosten J, F und K:

Kosten F, J, K	Kosten E + K3	353.810 €			Gewinn
	Anteil F (1)	5,00%	**17.691 €**	**= Kosten F**	
	Anteil J	35,00%	**123.834 €**	**= Kosten J**	16.166,00 €
	Anteil K	60,00%	**212.286 €**	**= Kosten K**	

Beispielrechnung

Zu 1)   Berechnung des Anteils der Kosten für Zwischenprodukt F:

$$\frac{absoluter\ Marktwert\ F}{abslouter\ Marktwert\ F + Marktwert\ J + Marktwert\ K} = Kostenanteil$$

$$\frac{20.000\ €}{20.000\ € + 140.000\ € + 240.000\ €} = \textbf{\textit{5,00 \%}}$$

Verteilung der Kosten auf G (Achtung wieder negativer MW) und H:

Kosten G + H	Kosten F + K4	137.691,00 €			Gewinn
	Anteil G	27,27%	37.552 €	= Kosten G	
	Anteil H	72,73%	100.139 €	= Kosten H	59.861,00 €

Verteilung der Kosten auf Produkt I:

Kosten I	Kosten G + K5	157.552 €	Gewinn:	-	97.552 €	

Verteilung der Kosten auf L und M:

Kosten L + M	Kosten K + K6	232.286,00 €			
	Anteil L	46,15%	107.209 €	= Kosten L	
	Anteil M	53,85%	125.077 €	= Kosten M	

Verteilung der Kosten auf P (N muss nicht kalkuliert werden):

Kosten P	Kosten L+K7+K8	187.209,00 €	Gewinn:	12.791,00 €	

Verteilung der Kosten auf O:

Kosten O	Kosten M + K9	165.077 €	Gewinn:	14.923 €	

Der Gesamtgewinn beträgt 9.990,00 € (siehe unten):

Produkt	Gewinn
C	1.385,00 €
D	2.425,00 €
J	16.166,00 €
H	59.861,00 €
I	- 97.552,00 €
P	12.791,00 €
O	14.923,00 €
Gesamt	9.999,00 €

b) *Louis* ist wenig erfreut über den geringen wirtschaftlichen Erfolg. Er schlägt vor, die Produktion von Brût einzustellen, um den Gesamtgewinn deutlich zu steigern. *Claire* zweifelt an der Wirksamkeit dieser Maßnahme, da aufgrund des Kuppelprozesses K4 zwangsläufig immer noch das

144

Produkt G entstünde. Dessen Vernichtung kostete bei der jetzigen Produktionsmenge von 800.000 Litern 100.000 €. *François*, der Vetter von *Louis*, betreibt eine Franzbranntweinfabrik und würde die gesamte Produktion von G übernehmen und zu einem Rheumamittel weiterverarbeiten.

Wie hoch wäre die Preisuntergrenze für einen Liter des Produktes G?

Begründen Sie Ihre Antwort!

Kosten Vernichtung von G	100.000	Herstell-menge	800.000	Liter
pro l	0,125			

Da die Vernichtung 12,5 Cent kostet, wäre es lohnend Francois bis zu 12,4 Cent je Liter zu bezahlen um die Vernichtungskosten zu vermeiden.

3.3.3　Skol GmbH A

a) Berechnen Sie mit Hilfe der **Marktwertmethode** die Gewinne der verkauften Endprodukte!

Bei der Kuppelkalkulation entstehen aus einem Ausgangsprodukt in der Produktion verschiedene Erzeugnisse. Bei Anwendung der Marktwertmethode verteilt man die Kosten anhand der Marktwerte auf die einzelnen Produkte.

	Herstellmenge	Marktwert	HK direkt
A	2000	20.000,00 €	8.000,00 €
C	1000	5.000,00 €	
D	2000	24.000,00 €	9.000,00 €
F	2000	16.000,00 €	
H	1500	12.000,00 €	
J	1500	9.000,00 €	3.000,00 €
G	3000		6.000,00 €

Für die Zwischenprodukte müssen fiktive Marktwerte ermittelt werden. Dies geschieht über die Erzeugnisse, welche aus dem Zwischenprodukt münden:

Fiktiver Marktwert für		G
	Marktwert H	12.000,00 €
	Marktwert J	9.000,00 €
		21.000,00 €
	abzgl. Direkte Kosten J	3.000,00 €
	==========	==========
	Marktwert G	18.000,00 €

Analog für E:

Fiktiver Marktwert für		E
	Marktwert G	18.000,00 €
	Marktwert F	16.000,00 €
		34.000,00 €
	abzgl. Direkte Kosten G	6.000,00 €
	===========	===========
	Marktwert E	28.000,00 €

Analog für B:

Fiktiver Marktwert für		B
	Marktwert C	5.000,00 €
	Marktwert D	24.000,00 €
		29.000,00 €
	abzgl. Direkte Kosten D	9.000,00 €
	===========	===========
	Marktwert B	20.000,00 €

Anschließen können die Kosten auf die Produkte verteilt werden. Hierbei beginnt man mit der ersten Stufe:

Aufteilung Kosten 1. Stufe auf A,B,E		
Kosten 1. Stufe:		
	Rohstoff:	25.000,00 €
	Kosten Kuppelprozess	20.000,00 €
	Summe:	45.000,00 €

Es müssen also 45.000,00 € auf die drei Produkte A, B und E verteilt werden. Die Aufteilung erfolgt anhand der Marktwerte:

Aufteilung im Verhältnis der Marktwerte					zzgl. Ggf. direkter Kosten	Gewinn
	Marktwert	Anteil	HK			
A	12.000,00 €	20,00%	9.000,00 €		17.000,00 €	3.000,00 €
B	20.000,00 € ①	33,33%	15.000,00 €		15.000,00 €	
E	28.000,00 €	46,67%	21.000,00 €		21.000,00 €	
Summe:	60.000,00 €					

Beispielberechnung:

Zu 1)   Berechnung des Anteils der Kosten für Zwischenprodukt B

$$\frac{Marktwert\ B}{Summe\ der\ Marktwerte\ auf\ Stufe\ 1} = Anteil$$

$$\frac{20.000\ €}{60.000\ €} = \mathbf{33,33\ \%}$$

Anschließend erfolgt die Verteilung der Kosten von Zwischenprodukt B (15.000 €) auf die Erzeugnisse C und D:

Aufteilung Kosten B auf C,D						
Kosten B (s.o.)	15.000,00 €					
	Marktwert	Anteil	HK		zzgl. Ggf. direkter Kosten	Gewinn
C	5.000,00 €	25,00%	3.750,00 €		3.750,00 €	1.250,00 €
D	15.000,00 €	75,00%	11.250,00 €		20.250,00 €	3.750,00 €
Summe	20.000,00 €					
	(Achtung, bei D MW abzgl. Direkte Kosten als Anteil!)					

Analog für Zwischenprodukt E auf nachfolgendes Produkt F und Zwischenprodukt G:

Aufteilung Kosten E auf F, G						
Kosten E	21.000,00 €					
	Marktwert	Anteil	HK		zzgl. Ggf. direkter Kosten	Gewinn
F	16.000,00 €	57,14%	12.000,00 €		12.000,00 €	4.000,00 €
G	12.000,00 €	42,86%	9.000,00 €		15.000,00 €	
Summe	28.000,00 €					
	(Achtung, bei G MW abzgl. Direkte Kosten als Anteil!)					

Und schließlich für Zwischenprodukt G auf die Erzeugnisse H und J:

Aufteilung Kosten G auf H, J						
Kosten G	15.000,00 €					
	Marktwert	Anteil	HK		zzgl. Ggf. direkter Kosten	Gewinn
H	12.000,00 €	66,67%	10.000,00 €		10.000,00 €	2.000,00 €
J	6.000,00 €	33,33%	5.000,00 €		8.000,00 €	1.000,00 €
Summe	18.000,00 €					
	(Achtung, bei J MW abzgl. Direkte Kosten als Anteil!)					

b) Wie verändert sich der **Gesamtgewinn**, wenn Produkte D und H als Nebenprodukte betrachtet werden? Begründen Sie Ihre Antwort!

Keine Veränderung des Gesamtgewinns, da die gleichen Kosten bei anderen Erlösanteilen nur anders verteilt werden.

c) G. Wieft schlägt vor, die Produktion von C, F, H und J zugunsten der lukrativeren Produkte A und D einzuschränken. Was halten Sie davon? Begründen Sie Ihre Antwort!

Es ist normalerweise technisch nicht möglich, die bindenden Verhältnisse zu verändern, da ansonsten keine Kuppelproduktion vorliegt. Es ist bspw. nicht möglich die Zusammensetzung von Benzin, Diesel usw. als Erzeugnisse von Erdöl zu verändern.

3.4 Maschinenstundensatzrechnung

3.4.1 Skol GmbH B

a) Ermitteln Sie über den Maschinenstundensatz die Maschinenkosten für ein kg Tierfutter im Einschicht- bzw. Zweischicht-Betrieb.

Durch den Trend zur anlagenintensiven Produktion wird die Kalkulation mit Zuschlagsätzen im Fertigungsbereich zunehmend ungenauer. Somit ist eine verursachungsgerechte Kostenzurechnung oft nicht mehr gegeben. Das Konzept der Maschinenstundensatzrechnung setzt an diesem Mangel an und versucht ihn zu beheben.

Schritt: Berechnung der Maschinenstunden pro Jahr

	Einschicht-Betrieb	Zweischicht-Betrieb
Arbeitstage	200 Tage	200
Betriebszeit pro Tag	8 Stunden	14 Stunden
Ausfallzeiten	200 Stunden	200 Stunden
Maschinenlaufzeiten	**1400 Stunden**	**2600 Stunden**

Schritt: Berechnung der maschinenabhängigen Kosten

	Einschicht-Betrieb		Zweischicht-Betrieb	
	p.a.	p.h.	p.a.	p.h.
Abschreibungen	① 84.000 €	60,00 €	84.000 €	32,31 €
Raumkosten		② 1,29 €		0,69 €
Stromkosten		75,00 €		75,00 €
Instandhaltung	70.000 €	50,00 €	105.000 €	40,38 €
Versicherung		17,14 €		9,23 €
Werkzeugkosten		8,57 €		4,62 €
Kalkulatorische Zinsen		③ 12,50 €		6,73 €
Lohnkosten		30,00 €		35,00 €
Summe Maschinenkosten		**254,50 €**		**203,96 €**

Beispielberechnungen:

Zu 1)   Berechnung Abschreibungen:

$$\frac{Anschaffungswert*1,2}{Nutzungsdauer} = Abschreibungen\, p.\, a.$$

$$\frac{350.000,00*1,2}{5} = \textbf{84.000, 00 €}$$

Zu 2)   Berechnung Raumkosten je h:

$$\frac{Raumbedarf*Raummiete\, je\, Monat*Monate}{Maschinenstunden} = Raumkosten\, je\, h$$

$$\frac{30\; m^2*5\frac{€}{m^2}*12}{1400\; h} = \textbf{1, 29}\; \frac{\textbf{€}}{\textbf{h}}$$

Zu 3)   Berechnung kalkulatorische Zinsen je h:

$$\frac{\emptyset\, investiertes\, Kapital*Zinssatz}{Maschinenstunden} = Kalk.\, Zinsen\, je\, h$$

$$\frac{175.000,00\; €*0,1}{1400\; h} = \textbf{12, 75}\; \frac{\textbf{€}}{\textbf{h}}$$

	Einschicht-Betrieb	Zweischicht-Betrieb
Herstellmenge pro Stunde	142,86	134,62
Kosten pro Kilo	**1,78 €**	**1,52 €**

b)   *G. Wieft* möchte auf der Basis der ermittelten Daten auch errechnen, wie viel Tierfutter verkauft werden muss, um in die Gewinnzone zu kommen. Ermitteln Sie auf der Basis der eben errechneten Daten getrennt für den Einschicht- bzw. Zweischicht-Betrieb die **Gewinnschwelle** unter folgenden, weiteren Annahmen:

Variable Kosten sind nur Strom, Werkzeugkosten und Löhne. Der Absatzpreis für Tierfutter beträgt 2,00 € je kg. Allerdings muss im Zweischichtbetrieb aufgrund der größeren Herstellmengen damit gerechnet werden, dass sich die höheren Mengen nur über einen generellen Preisnachlass von 25% verkaufen lassen (gilt für gesamte Absatzmenge).

Lohnt sich ein Wechsel auf den Zweischicht-Betrieb?

Für die Beantwortung der Fragen müssen Break-Even-Berechnungen durchgeführt werden. Hierzu müssen zunächst die Kostenfunktionen berechnet werden.

Berechnung der Kostenfunktionen

	Kostenfunktion Einschicht-Betrieb		Kostenfunktion Zweischicht-Betrieb	
	kg je h	142,86	kg je h	134,62
Variable Kosten	p.h.	per kg	p.h.	per kg
Strom	75,00 €	0,53 €	75,00 €	0,56 €
Löhne	30,00 €	0,21 €	35,00 €	0,26 €
Werkzeug	8,57 €	0,06 €	4,62 €	0,03 €
	Summe:	0,80 €	Summe:	0,85 €
Fixe Kosten:	p.a.			
Abschreibungen		84.000,00 €		84.000,00 €
Raumkosten		1.800,00 €		1.800,00 €
Instandhaltung		70.000,00 €		105.000,00 €
Versicherung		24.000,00 €		24.000,00 €
Kalk. Zinsen		17.500,00 €		17.500,00 €
	Summe	197.300,00 €		232.300,00 €
Preis für Tierfutter		2,00 €		1,50 €

Anschließend können die Break-Even-Mengen berechnet werden:

Für Einschicht-Betrieb:

$$Preis - (variable\ Kosten * Menge) - Fixkosten = 0$$

$$2,00 - (0,8 * x) - 197.300 = 0$$

$x = 164.146,67$

Für Zweischicht-Betrieb:

$1,50 - (0,85 * x) - 232.300 = 0$

$x = 357.384,62$

Das Ergebnis zeigt auf, dass es nicht vorteilhaft ist den Betrieb in Zweischicht zu führen. Die Gewinnzone wird nicht erreicht (Kapazität 350.000 €).

3.4.2   Bumbler & Sloven GmbH

a) Ermitteln Sie zunächst die **Kosten je Maschinenstunde**. Berechnen Sie dann die **neuen Herstellkosten je Stück** über eine Zuschlagskalkulation unter Berücksichtigung der Maschinenkosten. Beachten Sie dabei, dass die Maschinenkosten nicht alle Fertigungsgemeinkosten ersetzen! Verbleibende Fertigungsgemeinkosten sind anteilig über die Einzelkosten zuzuschlagen.

Durch den Trend zur anlagenintensiven Produktion wird die Kalkulation mit Zuschlagsätzen im Fertigungsbereich zunehmend ungenauer. Somit ist eine verursachungsgerechte Kostenzurechnung oft nicht mehr gegeben. Das Konzept der Maschinenstundensatzrechnung setzt an diesem Mangel an und versucht ihn zu beheben.

Schritt: Berechnung der Maschinenstunden pro Jahr

Arbeitstage	230
Schichten je Arbeitstag	2
Stunden je Schicht	7,5
Maschinenstunden im Jahr	**3450,00**

Schritt: Berechnung der maschinenabhängigen Kosten

		Pro Jahr	Pro Stunde
Abschreibungen	①	100.000,00 €	28,99 €
kalk. Zinsen	②	50.000,00 €	14,49 €
Raumkosten	③	6.000,00 €	1,74 €
Stromkosten	④	92.000,00 €	26,67 €
Instandhaltung	⑤	60.000,00 €	17,39 €
Versicherung		25.000,00 €	7,25 €
Sonst. Hilfs- u. betriebsst.		12.000,00 €	3,48 €
Summe		345.000,00 € ⑥	**100,00 €**

Beispielberechnungen:

Zu 1)   Berechnung Abschreibungen:

$$\frac{Anschaffungswert}{Nutzungsdauer} = Abschreibungen\ p.\ a.$$

$$\frac{1.000.000,00}{10} = \mathbf{100.000,00\ €}$$

Zu 2)   Berechnung kalkulatorische Zinsen:

$$Ø\ investiertes\ Kapital * Zinssatz = Kalk.Zinsen$$

$$500.000,00\ € * 0,1 = \mathbf{50.000,00\ €}$$

Zu 3)   Berechnung Raumkosten:

$$Raumbedarf * kalk.Miete * Monate = Raumkosten$$

$$50\ m^2 * 10\ \frac{€}{m^2} * 12 = \mathbf{6.000,00\ €}$$

Zu 4)   Berechnung Stromkosten:

$$kWh\ je\ Schicht * Arbeitsschichten * Preis\ je\ kWh = Stromkosten$$

$$2000\ kWh * 460 * 0,1\ \frac{€}{kWh} = \mathbf{92.000,00\ €}$$

Zu 5)   Berechnung Instandhaltung:

$$15.000,00\ € * 4\ Quartale = \mathbf{60.000,00\ €}$$

Zu 6)   Berechnung Maschinenstundensatz:

$$\frac{gesamte\ maschinenabhängige\ Kosten}{Maschinenstunden\ p.a.} = Maschinenstundensatz$$

$$\frac{345.000,00\ €}{3.450\ h} = \mathbf{100,00\ \frac{€}{h}}$$

Kalkulation mit Maschinenstundensatz

MEK		150,00 €
MGK		100,00 €
FEK		250,00 €
Maschinenkosten	①	1.500,00 €
Sonstige FGK	②	20,00 €
= HK		**2.020,00 €**

Zu 1)   Berechnung Maschinenkosten

$$15\,h * 100\,\frac{€}{h} = \mathbf{1.500,00\ €}$$

Zu 2)   Berechnung Rest-Fertigungsgemeinkosten

Für diese Berechnung müssen erst die gesamten Fertigungsgemeinkosten des Auftrags kalkuliert werden:

Stückzahl	150,00
FEK pro Stück	250
Gesamte FEK	37500
FGK-Zuschlagssatz:	10
FGK gesamt	**375000**

Anschließend können wir die Restfertigungsgemeinkosten des Auftrages berechnen:

$$Ges.FGK - ges.Maschinenkosten = RestFGK$$

$$375.000,00\ € - 345.000,00\ € = 30.000,00\ €$$

Somit ergibt sich pro Stück folgender neuer Rest-FGK-Zuschlagsatz:

8 %

b) Mitte des Jahres 2011 merkt Gustav, dass ihn offenbar sein üblicher Spürsinn für Glück und Erfolg verlässt: Die Verkaufszahlen bleiben deutlich hinter dem Plan zurück. Sein Controller, Donald Duck, schlägt vor, die Gemeinkostensätze und Maschinenkosten an die neue Situation anzupassen und somit neue Herstellkosten und Preise je Stück zu ermitteln. Gustav ist skeptisch und möchte lieber mit der bestehenden Kalkulation fortfahren.

Welche Wirkung hätte der von Donald empfohlene Weg? Welche Vorgehensweise empfehlen Sie?

Bei der Kalkulation neuer Zuschlagsätze kalkulieren (wie es Donald vorschlägt), würden sich die (fixen) Gemeinkosten auf weniger Einzelkosten verteilen. Somit würden die Zuschlagsätze steigen. Daraus ergibt sich, dass die Herstellkosten und die Preise ebenfalls steigen würden. Zu höheren Preisen könnte man noch weniger Tablets verkaufen. Man würde sich quasi aus dem Markt kalkulieren.

Besser man bleibt bei der alten Plan-Kalkulation und kann dann später durch eine Abweichungsanalyse die Ursachen und Wirkungen nachvollziehen.

3.4.3 Zorro S.A. A

a) Ermitteln Sie die Kosten des gesamten Auftrages. Errechnen Sie dazu zunächst den Maschinenstundensatz, bevor Sie dann eine Zuschlagskalkulation durchführen.

Zunächst werden die Nutzungszeit p.a. (in Stunden) und die Kosten der Maschine wie folgt ermittelt:

Arbeitstage	221	
Schichten je Arbeitstag	2	
Stunden je Schicht	6,50	(abzgl. Ausfallzeit je Schicht)
... Ergibt	2873	(=221*2*6,50)

	Pro Jahr	Pro Stunde
Abschreibungen	100.000,00 €	34,81 €
kalk. Zinsen	50.000,00 €	17,40 €
Raumkosten	6.000,00 €	2,09 €
Stromkosten	88.400,00 €	30,77 €
Instandhaltung	60.000,00 €	20,88 €
Versicherung	25.000,00 €	8,70 €
Sonst. Hilfs- u. betriebsst.	12.000,00 €	4,18 €
Summe	**341.400,00 €**	**118,83 €**

Die Produktion mit der Fertigungszelle X99 kostet also 118,83 € pro Stunde. Damit hat man eine Kalkulationsgrundlage, um dem Produkt „Barichella" die entsprechenden Gemeinkosten aufgrund der Inanspruchnahme der Fertigungszelle X99 möglichst genau zuzurechnen.

Zuschlagskalkulation mit Hilfe des Maschinenstundensatzes:

Kosten des Auftrags	Pro Stück		Gesamt
Maschinenkosten		29,71 €	297.076,23 €
Material-EK	300,00 €		
Material-GK	150,00 €		
Materialkosten		450,00 €	4.500.000,00 €
Fertigungslöhne	15,00 €		
Fertigungs-GK	15,00 €		
Fertigungskosten		30,00 €	300.000,00 €
Rüstkosten (Std. x Masch.std.satz)		1,19 €	11.883,05 €
Gesamte HK		510,90 €	5.108.959,28 €
Verw.Vt.Kosten		127,72 €	1.277.239,82 €
Selbstkosten		638,62 €	6.386.199,10 €

b) José soll aus den obigen Daten den Angebotspreis insgesamt und je Sitz ermitteln.

Die Angebotskalkulation hat folgendes Aussehen

Selbstkosten	6.386.199,10 €
Gewinnzuschlag	638.619,91 €
= Listenpreis	7.024.819,00 €
Skonto	143.363,65 €
= Rechnungspreis	7.168.182,66 €
Rabatt	377.272,77 €
Angebotspreis	7.545.455,43 €

Pro Sitz netto	754,55 €

3.4.4   Turbo Maschinenfabrik GmbH

a) Ermitteln Sie die **Maschinenstundensätze** für beide Maschinen.

		Flexo 1000	Millcut XP
Relevante Schichtzahl			
	Tage	250	250
	abzgl. Leerzeit	50	25
	Nutzbare Tage	200	225
	Schicht/pro tag	3	2
	Dauer je Schicht	6	7
	Nutzstunden	**3600**	**3150**
	Anzahl Schichten	600	450
Ermittlung Kosten je Stunde			
Abschreibungen (AHK)		13,89 €	1,90 €
kalk. Zinsen auf Wiederbesch.		3,47 €	0,63 €
Personalkosten		120,00 €	240,00 €
Stromkosten		26,67 €	13,71 €
Anzahl Wartungen im Schnitt*		3,6	0,63
Kosten Wartung		10,00 €	0,40 €
Raumkosten		1,67 €	0,76 €
Summe		**175,69 €**	**257,42 €**

Bsp.: Berechnung Anzahl Wartungen und Kosten der Wartung Flexo 1000

Nutzstunden	= 6 h pro Schicht * 3 Schichten pro Tag * 200 Tage pro Jahr
	= 3.600 h
Anzahl Wartungen	= Nutzstunden / Wartungsintervall
	= 3.600 / 1.000
	= 3,6 Wartungen/Jahr

Kosten der Wartung = (Wartungen pro Jahr * Wartungskosten)/Nutzstunden

$$= (3,6*10.000)/3.600$$

$$= \mathbf{10\ €}$$

b) *Claudius* plant mit einem **Jahresumsatz** von **1,0 Mio. €** für Turbinen. Abgesehen von den obigen Maschinenkosten kalkuliert er noch **300.000,- €** an **variablen Kosten**. Berechnen Sie für *Claudius* auf dieser Basis den **Gesamtdeckungsbeitrag**, sofern das Unternehmen mit Flexo 1000 bzw. mit Millcut XP produzieren würde. *Claudius* sieht sich in seinem Verdacht bestätigt, dass eine der Maschinen Verluste einfährt. Nehmen Sie zu seiner Ansicht kritisch Stellung!

	Flexo 1000	Millcut XP
Umsatz	1.000.000,00 €	1.000.000,00 €
sonst. Materialkosten (variabel	300.000,00 €	300.000,00 €
Gesamtkosten	632.500,00 €	810.860,00 €
DB	67.500,00 €	- 110.860,00 €

Das ist natürlich falsch! Die Maschinenkosten sind Vollkosten und keine variablen Kosten also ist das Rechenergebnis auch kein Deckungsbeitrag.

4 Ergebnisrechnung (Kostenträgerzeitrechnung)

4.1 Gesamtkostenverfahren

4.1.1 Rheingau GmbH

a) Ermitteln Sie zunächst über eine Zuschlagskalkulation die Herstellkosten der beiden Produkte. Berechnen Sie dann das Betriebsergebnis nach dem **Gesamtkostenverfahren** mit **Vollkosten** bzw. mit **Teilkosten**.

Das Gesamtkostenverfahren ist eine Form der Erfolgsrechnung. Zur Erfolgsermittlung werden dabei die produzierten Mengeneinheiten herangezogen. Eine Bestandsmehrung von fertigen und unfertigen Erzeugnissen ist dabei als Erträge zu berücksichtigen, da die jeweiligen Aufwendungen über die produzierten Mengeneinheiten erfasst werden. Bestandsminderungen müssen deshalb von den Umsatzerlösen abgezogen werden.

Für die Aufgabe müssen zuerst die Zuschlagsätze für das Vollkosten- bzw. Teilkostenverfahren berechnet werden. Während für das Vollkostenverfahren alle Kosten einbezogen werden, sollen für das Teilkostenverfahren nur die variablen Kosten berücksichtigt werden.

Für die Materialgemeinkostenzuschlagsätze ergeben sich:

Zuschlagssätze			Vollkosten		Teilkosten	
	Zuschlags-basis	Gesamt-kosten	Zuschlag	Variable Kosten	Zuschlag	
MGK	26.000,00 €	2.600,00 €	10%	1.300,00 €	5%	

Fertigungsgemeinkostenzuschlagsätze:

Zuschlagssätze			Vollkosten		Teilkosten	
	Zuschlags-basis	Gesamt-kosten	Zuschlag	Variable Kosten	Zuschlag	
FGK	420000	123000	0,29 €	88.000,00 €	0,21 €	[€/min]

Für die Berechnung der Verwaltungs- und Vertriebsgemeinkostenzuschlagsätze müssen zuerst die Herstellkosten für das Vollkosten- und Teilkostenverfahren berechnet werden:

Vollkosten			Teilkosten	
Fertigungsmaterial	26.000,00 €		Fertigungsmaterial	26.000,00 €
Materialgemeinkosten	2.600,00 €		Materialgemeinkosten	1.300,00 €
Fertigungslöhne	105.000,00 €		Fertigungslöhne	105.000,00 €
Fertigungsgemeinkosten	123.000,00 €		Fertigungsgemeinkosten	88.000,00 €
Herstellkosten	**256.600,00 €**		**Herstellkosten**	**220.300,00 €**

Bezogen auf diese können dann die Verwaltungs- und Vertriebsgemeinkostenzuschlagsätze berechnet werden:

Verw./Vertr. Vollk	256.600,00 €	61.435,00 €	23,94%		
... Teilk.	220.300,00 €			28.345,00 €	12,87%

Anschließend können wir dir Produktkalkulationen (Vollkosten und Teilkosten) durchführen:

	Vollkosten				**Teilkosten**	
	SodaJet	SodaMaster			SodaJet	SodaMaster
MEK	2,00 €	1,00 €		MEK	2,00 €	1,00 €
MGK	0,20 €	0,10 €		MGK	0,10 €	0,05 €
FEK	7,50 €	5,00 €		FEK	7,50 €	5,00 €
FGK	8,79 €	5,86 €		FGK	6,29 €	4,19 €
= HK	**18,49 €**	**11,96 €**		**= HK**	**15,89 €**	**10,24 €**
Verw./Vertr.	4,43 €	2,86 €		Verw./Vertr.	2,04 €	1,32 €
= SK	22,91 €	14,82 €		= SK	17,93 €	11,56 €

Anhand der ermittelten Werte können wir nun das Gesamtkostenverfahren (Vollkosten und Teilkosten) durchführen.

Gesamtkostenverfahren mit Vollkosten

Erlöse		Absatzmenge	Stückerlös	Umsatz	
	SodaJet	12.000	23	276.000,00 €	
	SodaMaster	5.000	13	65.000,00 €	
		Anzahl	HK		
	Bestandsmehrung SodaMaster	1.000	11,96 €	11.957,14 €	gerundet
		Summe Erlöse		352.957,14 €	
Kosten					
	MEK			26.000,00 €	
	MGK			2.600,00 €	
	FEK			105.000,00 €	
	FGK			123.000,00 €	
	Verw./Vertr.			61.435,00 €	
		Anzahl	HK		
	Bestandsminderung SodaJet	2.000	18,49	36.971,43 €	gerundet
		Summe Kosten		355.006,43 €	
		Gewinn/Verlust	-	2.049,29 €	

Gesamtkostenverfahren mit Teilkosten

Erlöse		Absatzmenge	Stückerlös	Umsatz	
	SodaJet	12.000	23	276.000,00 €	
	SodaMaster	5.000	13	65.000,00 €	
		Anzahl	HK		
	Bestandsmehrung SodaMaster	1.000	10,24 €	10.240,48 €	gerundet
		Gesamtleistung		351.240,48 €	
Kosten					
	variable Kosten			248.645,00 €	
	fixe Kosten			69.390,00 €	
		Anzahl	HK		
	Bestandsminderung SodaJet	2.000	15,89	31.771,43 €	gerundet
		Summe Kosten		349.806,43 €	
		Gewinn/Verlust		1.434,05 €	

b) Zeigen Sie rechnerisch die Überleitung vom Betriebsergebnis nach Vollkosten zu dem Betriebsergebnis nach Teilkosten.

Überleitungsrechnung von dem Ergebnis Vollkosten- zu dem Ergebnis des Teilkostenverfahrens:

BE Vollkosten		- 2.049,29 €	Berechnung	
Nicht verrechnete Fixkosten bei Bestandsminderung		5.200,00 €	2.000 Stück X (18,49 - 15,89)	
Nicht verrechnete Fixkosten bei Bestandsmehrung		- 1.716,67 €	1.000 Stück X (10,24 - 11,96)	
BE Teilkosten		1.434,05 €		

4.1.2   Dentofix GmbH A

a) Erstellen Sie **zwei Betriebsergebnisrechnungen** für das Unternehmen für Januar 2014: 1. nach dem Umsatzkostenverfahren als DB-Rechnung sowie 2. nach dem Gesamtkostenverfahren als Vollkostenrechnung.

DB = Deckungsbeitrag

Das Gesamtkostenverfahren ist eine Form der Erfolgsrechnung. Zur Erfolgsermittlung werden dabei die produzierten Mengeneinheiten herangezogen. Eine Bestandsmehrung von fertigen und unfertigen Erzeugnissen ist dabei als Erträge zu berücksichtigen, da die jeweiligen Aufwendungen über die produzierten Mengeneinheiten erfasst werden. Bestandsminderungen müssen deshalb von den Umsatzerlösen abgezogen werden.

Im ersten Schritt führen wir eine Stückkalkulation für die beiden Produkte durch:

Stückkalkulation		Sensitiv	Rasp
HK	var. HK	0,60 €	0,40 €
	anteilige fix*	0,40 €	0,22 €
	gesamte HK	1,00 €	0,62 €
Verkaufsprovision lt. Aufgabe:		0,20 €	0,20 €
	* gesamte Fixkosten / Herstellmenge		

Anschließend kann die Ergebnisrechnung mit Umsatzkostenverfahren als DB-Rechnung durchgeführt werden. Hierbei werden, im Unterschied zum Gesamtkostenverfahren, nur die abgesetzten Erzeugnisse betrachtet.

Ergebnisrechnung Umsatzkostenverfahren als DB-Rechnung			
Umsatz		Sensitiv	Rasp
Absatzmenge		30.000	40.000
Absatzpreis		1,50 €	1,20 €
Umsatz		45.000,00 €	48.000,00 €
abzgl. Verkaufsprovision		6.000,00 €	8.000,00 €
Verbleibender Umsatz		39.000,00 €	40.000,00 €
Variable Kosten abgesetzte Menge (cost of sales)			
in Jan 14	Herstellmenge	25.000	40.000
	var. Kosten	15.000,00 €	16.000,00 €
in Dez 13	Herstellmenge	5.000	0
	var. Kosten ①	4.250,00 €	- €
Summe variable Kosten		19.250,00 €	16.000,00 €
	Deckungsbeitrag	19.750,00 €	24.000,00 €
Fixkosten	HK	10.000,00 €	11.000,00 €
	VuV	7.000,00 €	9.000,00 €
	Gesamt	17.000,00 €	20.000,00 €
Ergebnis pro Produkt		2.750,00 €	4.000,00 €
Betriebsergebnis Unternehmen		**6.750,00 €**	

Beispielberechnungen:

Zu 1)   Berechnung der variablen Kosten für Dez 13:

$(Abgesetzte\ Menge - Herstellmenge\ Jan\ 14) * var.\ Stückkosten\ Dez\ 13$

$(30.000\ Stück - 25.000\ Stück) * 0{,}85\ \frac{€}{Stück} = \mathbf{4.250\ €}$

Die Berechnung des Betriebsergebnisses soll außerdem im zweiten Schritt für das Gesamtkostenverfahren als Vollkostenrechnung erfolgen:

Ergebnisrechnung Gesamtkostenverfahren Vollkosten			
		Sensitiv	Rasp
Verbleibender Umsatz		39.000,00 €	40.000,00 €
Bestandserhöhung			6.200,00 €
Gesamtleistung		39.000,00 €	46.200,00 €
	Summe	85.200,00 €	
Gesamtkosten Herstellung			
in Jan 14	Menge	25.000	50.000
	Kosten	25.000,00 €	31.000,00 €
Bestandsminderung			
in Dez 13	Menge	5.000	0
	Kosten	5.000,00 €	
Fixkosten VuV		7.000,00 €	9.000,00 €
Gesamte Kosten		37.000,00 €	40.000,00 €
	Summe	77.000,00 €	
Anteilige Afa Entwickl. ①		1.460,00 €	
	Gesamtkosten	78.460,00 €	
Betriebsergebnis Unternehmen		**6.740,00 €**	

Zu 1)   Berechnung der anteiligen Entwicklungskosten:

$$\frac{Gesamte\ Entwicklungsaufwendungen}{Gesamte\ Anzahl\ Monate\ im\ Abschreibungszeitraum} * 1\ Monat\ (für\ Jan\ 14)$$

$$\frac{70.080\ €}{48\ Monate} * 1\ Monat = \mathbf{1.460\ €}$$

b) *Marcel Herrera* denkt sich, Unterschiede entstehen hier höchstens durch Rundungsfehler. Sein Kollege *Johan van Gaal* klärt ihn mal wieder auf, dass das nicht stimmt und schlägt vor, eine **Überleitungsrechnung** vom Betriebsergebnis nach 1. zu 2. zu erstellen.

Für die Überleitungsrechnung ergibt sich:

Überleitungsrechnung	
BE Teilkosten	6.750,00 €
zzgl. Bestandserhöhung	6.200,00 €
Differenz HK ①	- 4.750,00 €
abzgl. Afa Entwicklungsaufwand	- 1.460,00 €
Neues BE	6.740,00 €

Zu 1)   Berechnung Differenz HK:

$$25.000€ + 31.000€ + 5.000€ - 19.250€ - 16.000€ - 11.000€ - 10.000€ = 4.750€$$

Wesentlicher Unterschied entsteht durch die Bestandserhöhung und durch die höheren HK nach GKV.

4.1.3   Zweistein & Cie GmbH B

a)   Ermitteln Sie das Betriebsergebnis nach dem **Gesamtkostenverfahren zu Vollkosten und zu Teilkosten.**

Das Gesamtkostenverfahren ist eine Form der Erfolgsrechnung. Zur Erfolgsermittlung werden dabei die produzierten Mengeneinheiten herangezogen. Eine Bestandsmehrung von fertigen und unfertigen Erzeugnissen ist dabei als Erträge zu berücksichtigen, da die jeweiligen Aufwendungen über die produzierten Mengeneinheiten erfasst werden. Bestandsminderungen müssen deshalb von den Umsatzerlösen abgezogen werden.

Zu Beginn berechnen wir die Bestandsveränderungen der beiden Produkte „Faxprofi" und „Multifax":

	Absatzmenge	Herstellmenge	Bestandsveränderung	
Faxprofi	20.000	21.000	1.000	Bestandserhöhung
Multifax	21.000	15.000	-6.000	Bestandsminderung

Anschließend berechnen wir die Umsätze der Periode:

Umsatz	Vollkosten	Teilkosten	Differenzen
Faxprofi	10.000.000,00 €	10.000.000,00 €	
Multifax	9.450.000,00 €	9.450.000,00 €	
gesamt	**19.450.000,00 €**	**19.450.000,00 €**	

Bei der Bestandserhöhung für das Produkt „Faxprofi" kommt es zu ersten Abweichungen zwischen Vollkosten- und Teilkostenverfahren. Dies liegt daran, dass im Vollkostenbereich die kompletten Herstellkosten pro Stück (250 €) und im Teilkostenbereich nur die variablen Herstellkosten pro Stück (200 €) einbezogen werden.

Bestandserhöhung			
Faxprofi	250.000,00 €	200.000,00 €	
Gesamtleistung	**19.700.000,00 €**	**19.650.000,00 €**	50.000,00 €

Bei der Berechnung der Herstellkosten betrachten wir im Gesamtkostenverfahren nur die produzierten Mengen. Während für die Berechnung der Herstellkosten im Vollkostenverfahren die Fixkosten bereits in den Herstellkosten pro Stück enthalten sind, müssen wir im Teilkostenverfahren nur die variablen Herstellkosten pro Stück heranziehen und erst in einem zweiten Schritt die Herstell-Fixkosten miteinberechnen:

Herstellkosten	Vollkosten	Teilkosten	
Faxprofi	5.250.000,00 €	4.200.000,00 €	1.050.000,00 €
Multifax	4.500.000,00 €	3.750.000,00 €	750.000,00 €
Herstell-Fixkosten (nur für Teilkostenrechnung relevant!)			
Faxprofi		1.050.000,00 €	- 1.050.000,00 €
Multifax		750.000,00 €	- 750.000,00 €

Bei der Bestandsminderung für das Produkt „Multifax" kommt es wieder zu Abweichungen zwischen Vollkosten- und Teilkostenverfahren. Die Gründe hierfür sind analog wie bei der Bestandserhöhung oben:

Bestandsminderung	Vollkosten	Teilkosten	
Multifax	1.800.000,00 €	1.500.000,00 €	- 300.000,00 €

Für die Berechnung der sonstigen Kosten ziehen wir im Teilkostenverfahren wieder nur die variablen Verwaltungs- und Vertriebskosten pro Stück mit ein und addieren anschließend die Fixkosten:

Sonstige Kosten			
Verw./Vertrieb			
Faxprofi	1.000.000,00 €	400.000,00 €	600.000,00 €
Multifax	1.680.000,00 €	525.000,00 €	1.155.000,00 €
Abschreibung	2.500.000,00 €	2.500.000,00 €	
Nicht verrechnete fixe Verw./Vertriebs-GK bei Teilkosten			
Faxprofi		600.000,00 €	- 600.000,00 €
Multifax		1.155.000,00 €	- 1.155.000,00 €

Dies führt uns zu folgenden Gesamtkosten:

Gesamtkosten	16.730.000,00 €	16.430.000,00 €	300.000,00 €

Durch den Saldo aus Gesamtleistung und Gesamtkosten ergibt sich das jeweilige Betriebsergebnis für Vollkosten- und Teilkostenverfahren:

Betriebsergebnis	2.970.000,00 €	3.220.000,00 €	- 250.000,00 €

b) Zeigen Sie Susi rechnerisch, wie die **Unterschiede** zustande kommen.

Weniger Fixkosten, die bei der Bestandserhöhung aufs "Lager" geschoben werden:

- 50.000,00 €	negativer Effekt

Weniger Fixkosten, die bei Bestandserhöhung vom Vorjahr übernommen werden:

300.000,00 €	positiver Effekt

Aus diesen beiden gegenläufigen Effekten ergibt sich der Unterschied zwischen den Betriebsergebnissen:

Gesamteffekt	250.000,00 €	BE steigt bei Teilkosten

c) Wie müsste eine Ergebnisrechnung aufgebaut sein, damit solche unterschiedlichen Wertansätze keine Rolle mehr spielen?

Man müsste eine mehrperiodische Betrachtung anstellen (im Extremfall sogar eine Totalbetrachtung). Die Unterschiede würden sich über die Jahre ausgleichen. Die Gesamtsumme der Ergebnisse über alle Jahre ist dann immer dieselbe, egal ob nach Voll- oder Teilkosten bewertet wird!

4.1.4 Chronos AG B

a) Berechnen Sie das Planergebnis der Sparte Digitaluhren nach dem **Gesamtkostenverfahren** bzw. nach dem **Umsatzkostenverfahren** mit **Vollkosten**.

Das Gesamtkostenverfahren ist eine Form der Erfolgsrechnung. Zur Erfolgsermittlung werden dabei die produzierten Mengeneinheiten herangezogen. Eine Bestandsmehrung von fertigen und unfertigen Erzeugnissen ist dabei als Erträge zu berücksichtigen, da die jeweiligen Aufwendungen über die produzierten Mengeneinheiten erfasst werden. Bestandsminderungen müssen deshalb von den Umsatzerlösen abgezogen werden.

Im ersten Schritt führen wir eine Stückkalkulation für die Produkte durch:

Produkte	HK = Gesamtkosten / Produktionsmenge	davon var. 75%	Verw. u. Vertriebs-kosten	Selbstkosten fix+var.	Bestands-veränderung
X11	125 €	94 €	60	185 €	130
Y10	240 €	180 €	60	300 €	-40
Z20	4.000 €	3.000 €	60	4.060 €	0

Anschließend können wir das Planergebnis nach dem Gesamtkosten- und Umsatzkostenverfahren mit Vollkosten berechnen:

173

Gesamtkostenverfahren mit Vollkosten			
Leistung			
	Erlöse		
		Produkte	
		X11	55.100,00 €
		Y10	72.500,00 €
		Z20	40.000,00 €
	Bestandserhöhung (zu Voll-Herstellkosten)		
		X11	16.250,00 €
		Summe:	**183.850,00 €**
Kosten			
	Plankosten		210.000,00 €
	Bestandsminderung (zu Voll-Herstellkosten)		
		Y10	9.600 €
		Summe:	**219.600,00 €**
Betriebsergebnis			**- 35.750,00 €**

174

```
┌─────────────────────────────────────────────────────────┐
│ Umsatzkostenverfahren mit Vollkosten                      │
│                                                           │
│ Erlöse                                                    │
│            Produkte                                       │
│                X11          55.100,00 €                   │
│                Y10          72.500,00 €                   │
│                Z20          40.000,00 €                   │
│                                                           │
│            Summe:          167.600,00 €                   │
│                                                           │
│ Kosten                                                    │
│            Kosten der abgesetzten Mengen                  │
│                X11          23.750 €                      │
│                Y10          69.600 €                      │
│                Z20          80.000 €                      │
│            Gemeinkosten     30.000 €                      │
│                                                           │
│            Summe:          203.350 €                      │
│                                                           │
│                                                           │
│ Betriebsergebnis        -   35.750,00 €                   │
└─────────────────────────────────────────────────────────┘
```

Man kommt mit beiden Verfahren zu den gleichen Ergebnissen.

b) Im Studium hat *G. Wieft* schon einmal etwas von Teil- und Vollkosten gehört. Da seine Kostenrechnungsvorlesung immer so früh begonnen hatte und er Langschläfer ist, kann er sich nicht mehr so recht erinnern, ob er denn dann dasselbe Ergebnis erhält oder nicht.

Ermitteln Sie für ihn das Betriebsergebnis nach dem **Gesamtkostenverfahren** auf **Teilkostenbasis**. Erläutern Sie das Ergebnis im Vergleich mit dem nach Vollkosten ermittelten.

Gesamtkostenverfahren mit Teilkosten		
Gesamtleistung		
	Erlöse (wie vorher)	167.600,00 €
	Bestandserhöhung zu Teil-HK X11	12.187,50 €
	Summe:	**179.787,50 €**
Kosten		
	Plankosten wie gehabt	210.000,00 €
	Bestandsminderung zu Teil-HK Y10	7.200,00 €
	Summe:	**217.200,00 €**
Betriebsergebnis:		**- 37.412,50 €**

Die Fixkosten werden nicht mehr aufs Lager "verschoben", sondern in der Periode aufgeführt, in der sie auch anfallen.

4.2 Umsatzkostenverfahren

4.2.1 Meditec AG B

a) Ermitteln Sie zunächst über eine Zuschlagskalkulation die **Herstellkosten** der beiden Produkte **je Stück** für das Jahr 2009 zu Voll- und Teilkosten.

Berechnen Sie dann das Betriebsergebnis in 2009 nach dem **Umsatzkostenverfahren** mit 1.) **Vollkosten** bzw. mit 2.) **Teilkosten**.

Das Umsatzkostenverfahren ist ein Verfahren zur Ermittlung des Periodenerfolgs. Den Umsatzerlösen werden nur die Herstellungskosten gegenübergestellt, die für die Umsätze angefallen sind.

Für die Aufgabe müssen zuerst die Zuschlagsätze für das Vollkosten- bzw. Teilkostenverfahren berechnet werden. Während für das Vollkostenverfahren alle Kosten einbezogen werden, sollen für das Teilkostenverfahren nur die variablen Kosten berücksichtigt werden.

Für die Materialgemeinkostenzuschlagsätze ergeben sich:

Zuschlagssätze						
	Zuschlags-basis	Gesamt-kosten	Zuschlag	Variable Kosten	Zuschlag	
MGK	26.000,00 €	3.500 €	13,46%	1.500,00 €	5,77%	

Fertigungsgemeinkostenzuschlagsätze:

Zuschlagssätze						
	Zuschlags-basis	Gesamt-kosten	Zuschlag	Variable Kosten	Zuschlag	
FGK	420.000	125.000 €	0,30 €	90.000,00 €	0,21 €	[€/min]
	(Minuten)					

Anschließend können wir dir Produktkalkulationen (Vollkosten und Teilkosten) durchführen:

Produktkalkulation			Vollkosten			Teilkosten	
			Kuradont	Pneumosan		Kuradont	Pneumosan
		MEK	2,00 €	1,00 €	MEK	2,00 €	1,00 €
		MGK	0,27 €	0,13 €	MGK	0,12 €	0,06 €
		FEK	6,07 €	4,05 €	FEK	6,07 €	4,05 €
		FGK	8,93 €	5,95 €	FGK	6,43 €	4,29 €
im Jahr 2009		= HK	17,27 €	11,13 €	= HK	14,62 €	9,39 €
im Jahr 2008 lt. Aufgabenstellung:			15,00 €	10,00 €		13,00 €	8,00 €

Anhand der ermittelten Werte für die Herstellkosten pro Stück können wir nun das Betriebsergebnis mit dem Umsatzkostenverfahren (Vollkosten und Teilkosten) ermitteln:

Umsatzkostenverfahren mit Vollkosten				
Erlöse		Absatzmenge	Stückerlös	Umsatz
	Kuradont	12.000	23,00 €	276.000,00 €
	Pneumosan	5.000	13,00 €	65.000,00 €
			Erlöse gesamt	341.000,00 €

Herstellkosten des Umsatzes		Menge	HK je Stück	
Kuradont	in 2009	10.000	17,27 €	172.692,31 €
Kuradont	in 2008	2.000	15,00 €	30.000,00 €
Pneumosan	in 2009	5.000	11,13 €	55.673,08 €
Sonstige Kosten				
	Verwaltung (fix u. variabel)			18.000,00 €
	Werbung (fix u. variabel)			5.435,00 €
	Verkauf (fix u. variabel)			38.000,00 €
			Summe Kosten	319.800,38 €
			Gewinn/Verlust	21.199,62 €

Umsatzkostenverfahren mit Teilkosten				
Erlöse		Absatzmenge	Stückerlös	Umsatz
	Kuradont	12.000	23,00 €	276.000,00 €
	Pneumosan	5.000	13,00 €	65.000,00 €
			Erlöse gesamt	**341.000,00 €**

Herstellkosten des Umsatzes		Menge	HK je Stück	
Kuradont	in 2009	10.000	14,62 €	146.153,85 €
Kuradont	in 2008	2.000	13,00 €	26.000,00 €
Pneumosan	in 2009	5.000	9,39 €	46.955,13 €
Sonstige Kosten				
	fixe MGK			35.000,00 €
	fixe Lagerkosten			2.000,00 €
	Verwaltung (fix u. variabel)			18.000,00 €
	Werbung (fix u. variabel)			5.435,00 €
	Verkauf (fix u. variabel)			38.000,00 €
			Summe Kosten	**317.543,97 €**
			Gewinn/Verlust	**23.456,03 €**

b) Zeigen Sie rechnerisch die **Überleitung** vom Betriebsergebnis nach Vollkosten zu dem Betriebsergebnis nach Teilkosten.

Karla fragt sich, wo sie die Kosten der Bestandserhöhung aufführen soll bzw. wo diese „auftauchen". Können Sie ihr einen Rat geben?

Überleitungsrechnung von Voll- zu Teilkosten

HK des Umsatzes		Sonstige Kosten		Summe Kosten
Vollkosten	258.365,38 €	Vollkosten	61.435,00 €	319.800,38 €
Teilkosten	219.108,97 €	Teilkosten	98.435,00 €	317.543,97 €
Differenz	- 39.256,41 €	Differenz	37.000,00 €	- 2.256,41 €

Von Vollkosten zu Teilkosten heißt: Weniger HK (negative Zahl), aber mehr sonstige Kosten (positive Zahl) => Gesamtkosteneffekt < 0

=> Das Betriebsergebnis ist bei der Teilkostenrechnung höher.

Bestandserhöhung bei Pneumosan taucht im UKV nicht explizit auf! Sie wird in der Lagerbuchführung erfasst und damit in der Bilanz. Im Betriebsergebnis tauchen die Werte erst auf, wenn die Produkte verkauft werden.

4.2.2 Solar-Tech AG

a) Ermitteln Sie für *Anna* den Wert des Lagerbestands am Ende eines Monats in EURO, sowie das Betriebsergebnis je Monat und für den gesamten Zeitraum in EURO. Jeweils mit dem **Umsatzkostenverfahren** nach **Teilkosten** und nach **Vollkosten**!

Das Umsatzkostenverfahren ist ein Verfahren zur Ermittlung des Periodenerfolgs. Den Umsatzerlösen werden nur die Herstellungskosten gegenübergestellt, die für die Umsätze angefallen sind.

In einem ersten Schritt berechnen wir die (variablen) Herstellkosten pro Stück:

Berechnung variable Herstellkosten je Stück	
Variable Materialkosten	75 €
Variable Fertigungsgemeinkosten	125 €
Var. HK je Stück	**200 €**

Relevante Fixkosten (ohne Vw. Und Vt.)	90.000 €
Herstellmenge	3.000 Stück
anteilig	30 €
HK je Stück	**230 €**

Anschließend können wir mit das Umsatzkostenverfahren mit Voll- und Teilkosten durchführen:

Vollkostenrechnung						
Monat	Absatzmenge [Stück]	Erlöse [€]	HK Absatz-menge [€]	Rohertrag [€]	Ergebnis*	Wert Lager-bestand [€]
1	2900	725.000 €	667.000 €	58.000 €	8.000 €	23.000,00 €
2	2500	625.000 €	575.000 €	50.000 €	- €	138.000,00 €
3	3500	875.000 €	805.000 €	70.000 €	20.000 €	23.000,00 €
4	2500	625.000 €	575.000 €	50.000 €	- €	138.000,00 €
5	2500	625.000 €	575.000 €	50.000 €	- €	253.000,00 €
6	2000	500.000 €	460.000 €	40.000 €	- 10.000 €	483.000,00 €
	Summen	3.975.000 €	3.657.000 €	318.000 €	18.000 €	

*) abzgl. der Fixkosten Verw. und Vertrieb

Teilkosten:

Teilkostenrechnung						
Monat	Absatzmenge [Stück]	Erlöse [€]	HK Absatz-menge [€]	DB [€]	Ergebnis**	Wert Lager-bestand [€]
1	2900	725.000 €	580.000 €	145.000 €	5.000	20.000 €
2	2500	625.000 €	500.000 €	125.000 €	- 15.000	120.000 €
3	3500	875.000 €	700.000 €	175.000 €	35.000	20.000 €
4	2500	625.000 €	500.000 €	125.000 €	- 15.000	120.000 €
5	2500	625.000 €	500.000 €	125.000 €	- 15.000	220.000 €
6	2000	500.000 €	400.000 €	100.000 €	- 40.000	420.000 €
	15	3.975.000 €	3.180.000 €	795.000 €	- 45.000	

**) Abzgl. aller Fixkosten

b) *Anna* freut sich, dass bei einer der beiden Rechnungen ein Ergebnis herauskommt, das ihrem Chef gefallen wird, nur ist sie nicht ganz sicher, warum das eigentlich so ist. Erläutern Sie, wie die unterschiedlichen Ergebnisse zustande kommen. Welche der Rechnungen halten Sie aus betriebswirtschaftlicher Sicht bzw. aus Sicht von *Willi Wiesel* für zweckmäßiger?

Die Vollkostenrechnung "verschiebt" die anteiligen Fixkosten der Bestandserhöhung ins Lager, wodurch sie scheinbar variabilisiert sind und in der Ergebnisrechnung nicht auftauchen. Bei der Teilkostenrechnung werden die Fixkosten als Sockelbetrag jeden Monat erfasst und nur echte variable Kosten werden auch so behandelt.

Kurzfristig ist eine Teilkostenrechnung sinnvoller und besitzt mehr Aussagekraft: Kurzfristige Entscheidungen über Preisnachlässe, Produktion oder Abverkauf vom Lager lassen sich damit besser rechnerisch unterstützen.

Willi wird jedoch aus Gründen der "Kosmetik" hier die Vollkostenrechnung vorziehen. Damit erscheint das Profitcenter erfolgreicher. Das stellt letztlich aber ein Trugschluss dar.

4.2.3   Skol GmbH C

a)   Ermitteln Sie folgende Informationen:

- Wert des Lagerbestands in EURO je Monat
- Monatliches Betriebsergebnis in EURO
  Berechnen Sie diese Informationen nach dem **Umsatzkostenverfahren** sowohl mit **Teilkosten** als auch mit **Vollkosten**.

Das Umsatzkostenverfahren ist ein Verfahren zur Ermittlung des Periodenerfolgs. Den Umsatzerlösen werden nur die Herstellungskosten gegenübergestellt, die für die Umsätze angefallen sind.

In einem ersten Schritt berechnen wir die (variablen) Herstellkosten pro Stück:

Berechnung variable Herstellkosten je Stück	
Variable Materialkosten	8 €
Variable Fertigungsgemeink	12 €
Var. HK je Stück	**20 €**

Relevante Fixkosten (ohne	20.000 €
Herstellmenge	2500 Stück
anteilig	8 €
HK je Stück	**28 €**

Anschließend können wir mit das Umsatzkostenverfahren mit Voll- und Teilkosten durchführen:

Vollkostenrechnung						
Monat	Absatzmenge [Säcke]	Erlöse [€]	HK Absatz- menge [€]	Rohertrag [€]	Abzgl. Fixk. VuV	Wert Lager- bestand [€]
1	750	37.500 €	21.000 €	16.500 €	**12.750 €**	49.000,00 €
2	1750	87.500 €	49.000 €	38.500 €	**34.750 €**	70.000,00 €
3	4700	235.000 €	131.600 €	103.400 €	**99.650 €**	8.400,00 €
4	2800	140.000 €	78.400 €	61.600 €	**57.850 €**	- €
5	1300	65.000 €	36.400 €	28.600 €	**24.850 €**	33.600,00 €
6	700	35.000 €	19.600 €	15.400 €	**11.650 €**	84.000,00 €
	Summen	600.000 €	336.000 €	264.000 €	**241.500 €**	245.000 €

Teilkosten:

Teilkostenrechnung						
Monat	Absatzmenge [Säcke]	Erlöse [€]	HK Absatz-menge [€]	DB [€]	Abzgl. aller Fixkosten	Wert Lager-bestand [€]
1	750	37.500 €	15.000 €	22.500 €	- 1.250	35.000 €
2	1750	87.500 €	35.000 €	52.500 €	28.750	50.000 €
3	4700	235.000 €	94.000 €	141.000 €	117.250	6.000 €
4	2800	140.000 €	56.000 €	84.000 €	60.250	- €
5	1300	65.000 €	26.000 €	39.000 €	15.250	24.000 €
6	700	35.000 €	14.000 €	21.000 €	- 2.750	60.000 €
	Summen	600.000 €	240.000 €	360.000 €	217.500	175.000 €

b) Ali Baba ist verwirrt, dass er in einzelnen Monaten je nach Rechnung mal Gewinne oder Verluste macht. G. Wieft kann sich darauf auch keinen Reim machen. Erläutern Sie, woher diese Unterschiede im Betriebsergebnis stammen. Welche Rechnung (Voll- oder Teilkosten) würden Sie für diese Monatsbetrachtung empfehlen? Begründen.

Die Vollkostenrechnung "verschiebt" die Fixkosten ins Lager, wodurch sie scheinbar variabilisiert sind und in der Ergebnisrechnung nicht auftauchen. Bei Teilkostenrechnung werden die Fixkosten als Sockelbetrag jeden Monat erfasst und nur variable Kosten werden auch so behandelt.

Kurzfristig ist eine Teilkostenrechnung sinnvoller und besitzt mehr Aussagekraft: Kurzfristige Entscheidungen über Preisnachlässe, Produktion oder Abverkauf vom Lager lassen sich damit besser rechnerisch unterstützen.

4.2.4   Solarworld GmbH

a) Ermitteln Sie die das **Betriebsergebnis** und die **Umsatzrendite** je Monat und für den gesamten Zeitraum in EURO. Jeweils mit dem **Umsatzkostenverfahren** nach **Vollkosten** und nach **Teilkosten**!

Das Umsatzkostenverfahren ist ein Verfahren zur Ermittlung des Periodenerfolgs. Den Umsatzerlösen werden nur die Herstellungskosten gegenübergestellt, die für die Umsätze angefallen sind.

In einem ersten Schritt berechnen wir die (variablen) Herstellkosten pro Stück:

Berechnung variable Herstellkosten je Stück	
Variable Materialkosten	75 €
Variable Fertigungsgemeink	125 €
Var. HK je Stück	**200 €**

Relevante Fixkosten (ohne	100.000 €
Herstellmenge	2500
anteilig	40 €
HK je Stück	**240 €**

Anschließend können wir mit das Umsatzkostenverfahren mit Voll- und Teilkosten durchführen:

Vollkostenrechnung						
Monat	Absatzmenge [Stück]	Erlöse [€]	HK Absatz-menge [€]	Rohertrag [€]	Ergebnis*	Wert Lager-bestand [€]
1	2300	632.500 €	552.000 €	80.500 €	**35.500 €**	48.000,00 €
2	2200	605.000 €	528.000 €	77.000 €	**32.000 €**	120.000,00 €
3	2100	577.500 €	504.000 €	73.500 €	**28.500 €**	216.000,00 €
4	2000	550.000 €	480.000 €	70.000 €	**25.000 €**	336.000,00 €
5	1900	522.500 €	456.000 €	66.500 €	**21.500 €**	480.000,00 €
6	1900	522.500 €	456.000 €	66.500 €	**21.500 €**	624.000,00 €
	Summen	3.410.000 €	2.976.000 €	434.000 €	**164.000 €**	

Teilkosten:

		Teilkostenrechnung				
Monat	Absatzmenge [Stück]	Erlöse [€]	HK Absatz- menge [€]	DB [€]	Ergebnis**	Wert Lager- bestand [€]
1	2300	632.500 €	460.000 €	172.500 €	**27.500**	40.000 €
2	2200	605.000 €	440.000 €	165.000 €	**20.000**	100.000 €
3	2100	577.500 €	420.000 €	157.500 €	**12.500**	180.000 €
4	2000	550.000 €	400.000 €	150.000 €	**5.000**	280.000 €
5	1900	522.500 €	380.000 €	142.500 €	**- 2.500**	400.000 €
6	1900	522.500 €	380.000 €	142.500 €	**- 2.500**	520.000 €
	Summen	3.410.000 €	2.480.000 €	930.000 €	**60.000**	

**) Abzgl. aller Fixkosten

Da wir die Betriebsergebnisse und die Erlöse bereits berechnet haben können wir nun die Umsatzrenditen darstellen:

		Vollkostenrechnung		
Monat	Erlöse [€]	Ergebnis	Berechnung	Umsatzrendite
1	632.500 €	35.500 €	35.500*100/632.500	**5,61%**
2	605.000 €	32.000 €	32.000*100/605.000	**5,29%**
3	577.500 €	28.500 €	28.500*100/577.500	**4,94%**
4	550.000 €	25.000 €	25.000*100/550.000	**4,55%**
5	522.500 €	21.500 €	21.500*100/522.500	**4,11%**
6	522.500 €	21.500 €	21.500*100/522.500	**4,11%**
Summe	3.410.000 €	164.000 €	164.000*100/3.410.000	**4,81%**

Teilkosten:

		Teilkostenrechnung		
Monat	Erlöse [€]	Ergebnis	Berechnung	Umsatzrendite
1	632.500 €	27.500 €	27.500*100/632.500	**4,35%**
2	605.000 €	20.000 €	20.000*100/605.000	**3,31%**
3	577.500 €	12.500 €	12.500*100/577.500	**2,16%**
4	550.000 €	5.000 €	5.000*100/550.000	**0,91%**
5	522.500 €	- 2.500 €	´-2.500*100/522.500	**-0,48%**
6	522.500 €	- 2.500 €	´-2.500*100/522.500	**-0,48%**
Summe	3.410.000 €	60.000 €	60.000*100/3.410.000	**1,76%**

b) Welches Verfahren führt zu einem besseren Ergebnis und besserer Rendite und weshalb?

Die Abhängigkeit solcher Kennzahlen vom verwendeten Bewertungsverfahren ist vermutlich kaum zu vermeiden. Wie könnte ein potentieller Investor vorgehen, um in dem oben genannten Fall einen Einblick zu erhalten, der solche Abhängigkeiten wenigstens reduziert?

Vollkostenrechnung "verschiebt" die Fixkosten ins Lager, wodurch sie scheinbar variabilisiert sind und in der Ergebnisrechnung nicht auftauchen. Bei Teilkostenrechnung werden die Fixkosten als Sockelbetrag jeden Monat erfasst und nur variable Kosten sind auch variabel.

Kurzfristig ist eine Teilkostenrechnung sinnvoller und besitzt mehr Aussagekraft: Kurzfristige Entscheidungen über Preisnachlässe, Produktion oder Abverkauf vom Lager lassen sich damit besser rechnerisch unterstützen.

Das Unternehmen wird jedoch aus Gründen der "Kosmetik" hier die Vollkostenrechnung vorziehen. Damit erscheint das Profitcenter erfolgreicher.

Reduzieren lässt sich das, wenn man Einblick in die Lagerbuchführung erhält, um damit zu sehen, ob Lagerbestände aufgebaut werden. Neben solchen Betriebsinterna hilft sicher auch ein Blick auf Markt und Wettbewerb.

4.3 Mehrstufige Deckungsbeitragsrechnung

4.3.1 Kästner Ski AG B

a) Führen Sie eine **mehrstufige Deckungsbeitragsrechnung** für den Monat November durch und ermitteln Sie den Betriebserfolg.

Hinweise: Bitte teilen Sie die variablen Materialgemeinkosten sowie variablen Vertriebs- und Verwaltungskosten über die jeweiligen Einzelkostenbeträge zu, nicht über die Mengen. Überlegen Sie zunächst, welche Stufen der DB-Rechnung zu unterscheiden sind.

Die mehrstufige Deckungsbeitragsrechnung baut auf der einstufigen Deckungsbeitragsrechnung auf. Wesentlicher Unterschied ist jedoch, dass die Fixkosten nicht als ein Block behandelt werden und am Ende abgezogen werden, sondern in verschiedene Blöcke (bspw. Erzeugnis-, Produktgruppen- und Unternehmensfixkosten) aufgeteilt werden und so in auf mehreren Ebenen verrechnet werden können. Die Erfolgsstruktur einer Firma kann somit besser dargestellt werden.

Kostenstelle		Kst. I			Kst. II
Maschine		Maschine 1	Maschine 2		
Produkt		A	B	C	D
Umsätze		38.400 €	20.000 €	21.000 €	31.500 €
Fertigungslöhne		4.000 €	3.500 €	3.350 €	4.050 €
Variable FGK		2.850 €	1.000 €	2.000 €	2.300 €
MEK		8.000 €	4.000 €	4.000 €	12.000 €
Variable MGK	(1)	300 €	150 €	150 €	450 €
Variable HK der hergestellten Menge		15.150 €	8.650 €	9.500 €	18.800 €
Variable HK der abgesetzten Menge	(2)	**18.180 €**	**6.920 €**	**9.500 €**	**19.740 €**
Variable Vw.+Vt.kosten	(3)	909 €	346 €	475 €	987 €
SEKVt.		990 €	437 €	345 €	826 €
Variable Kosten		20.079 €	7.703 €	10.320 €	21.553 €
DB I		**18.321 €**	**12.297 €**	**10.680 €**	**9.947 €**
Erzeugnisfixkosten		1.350 €	- €	2.200 €	1.350 €
DB II		**16.971 €**	**12.297 €**	**8.480 €**	**8.597 €**
Maschinenfixkosten		1.700 €		1.250 €	- €
DB III		**15.271 €**		**19.527 €**	**8.597 €**
Kst.-Fixkosten				16.500 €	11.000 €
DB IV				**18.298 €**	- 2.403 €
Unternehmensfixkosten				(4)	17.050 €
Betriebserfolg (DB V)	-				**1.155 €**

Beispielberechnungen:

Zu 1) Variable MGK Produkt A:

$$\frac{Variable\ Materialgemeinkosten}{Materialeinzelkosten\ gesamt} \cdot Materialeinzelkosten\ A = Variable\ \text{MGK A}$$

$$\frac{1.050,00\ €}{28.000\ €} * 8.000\ € = \mathbf{300,00\ €}$$

Zu 2) Variable HK der abgesetzten Menge Produkt A:

189

$$\frac{Var.\ HK\ der\ hergestellten\ Menge}{Hergestellte\ Menge} * Abgesetzte\ Menge = \text{Var. HK der abgesetzten Menge A}$$

$$\frac{15.150\ \text{€}}{400\ St\ddot{u}ck} * 480\ St\ddot{u}ck = \mathbf{18.180,00\ \text{€}}$$

Zu 3) Variable Vw. + Vt.Kosten Produkt A:

$$\frac{Variable\ Vw.u.Vt.Kosten}{Gesamte\ HK\ der\ abgesetzen\ Menge} HK\ der\ abgesetzten\ Menge\ A =$$
$$Var.Vw. + Vt.Kosten\ A$$

$$\frac{2.717\ \text{€}}{54.340\ \text{€}}\ 18.180\ \text{€} = \mathbf{909,00\ \text{€}}$$

Zu 4) Unternehmensfixkosten:

$$Fixe\ Vw.u.Vt.Kosten + Fixe\ Materialkosten = Unternehmensfixkosten$$

$$16.000\ \text{€} + 1.050\ \text{€} = \mathbf{17.050,00\ \text{€}}$$

b) Welche Vorschläge sollte Frau *Huber* Herrn *Moser* bzgl. der Sortimentspolitik unterbreiten? Welche Maßnahmen sollte das Unternehmen ergreifen?

Langfristig könnte es sinnvoll sein, Produkt D zu eliminieren, da DB IV negativ. Kurzfristig ist das Problem der Abbaubarkeit der Fixkosten von D gegeben, der DB V würde um 9.947 sinken!

Es müsste außerdem geprüft werden ob Absatzverbundbeziehungen zwischen den Produkten bestehen.

4.3.2 Kästner Ski AG C

a) Führen Sie eine **mehrstufige Deckungsbeitragsrechnung** für den Monat September durch und ermitteln Sie den Betriebserfolg.

<u>Hinweise</u>: Bitte teilen Sie die variablen Materialgemeinkosten sowie variablen Vertriebs- und Verwaltungskosten über die jeweiligen Einzelkostenbeträge zu, nicht über die Mengen. Überlegen Sie zunächst, welche Stufen der DB-Rechnung zu unterscheiden sind.

Die mehrstufige Deckungsbeitragsrechnung baut auf der einstufigen Deckungsbeitragsrechnung auf. Wesentlicher Unterschied ist jedoch, dass die Fixkosten nicht als ein Block behandelt werden und am Ende abgezogen werden, sondern in verschiedene Blöcke (bspw. Erzeugnis-, Produktgruppen- und Unternehmensfixkosten) aufgeteilt werden und so in auf mehreren Ebenen verrechnet werden können. Die Erfolgsstruktur einer Firma kann somit besser dargestellt werden.

Kostenstelle			Kst. 4711			Kst. 4712
Maschine			Maschine 1	Maschine 2		
Produkt			R1	R2	R3	R4
Umsätze			33.600 €	24.000 €	18.000 €	26.250 €
Fertigungslöhne			4.500 €	3.000 €	3.500 €	4.500 €
Variable FGK			5.000 €	1.000 €	2.000 €	2.500 €
MEK			9.000 €	5.000 €	6.000 €	10.000 €
Variable MGK		①	600 €	333 €	400 €	667 €
Variable HK der hergestellten Menge			19.100 €	9.333 €	11.900 €	17.667 €
Variable HK der abgesetzten Menge		②	**18.336 €**	**7.000 €**	**9.520 €**	**20.611 €**
Variable Vw.+Vt.kosten		③	898 €	343 €	466 €	1.010 €
SEKVt.			1.000 €	500 €	600 €	700 €
Variable Kosten			20.234 €	7.843 €	10.586 €	22.321 €
DB I			**13.366 €**	**16.157 €**	**7.414 €**	**3.929 €**
Erzeugnisfixkosten			2.000 €	800 €	1.500 €	2.000 €
DB II			**11.366 €**	**15.357 €**	**5.914 €**	**1.929 €**
Maschinenfixkosten			2.500 €	1.500 €		- €
DB III			**8.866 €**	**19.771 €**		**1.929 €**
Kst.-Fixkosten				5.000 €		6.000 €
DB IV				**23.637 €**	-	**4.071 €**
Unternehmensfixkosten					④	19.566 €
Betriebserfolg (DB V)	-					**0,11 €**

Zu 1)   Variable MGK Produkt A:

$$\frac{Variable\ Materialgemeinkosten}{Materialeinzelkosten\ gesamt} \cdot Materialeinzelkosten\ A = Variable\ \text{MGK}\ A$$

$$\frac{2.000,00\ \text{€}}{30.000\ \text{€}} * 9.000\ \text{€} = \mathbf{600,00\ \text{€}}$$

Zu 2)   Variable HK der abgesetzten Menge Produkt A:

192

$$\frac{Var.\ HK\ der\ hergestellten\ Menge}{Hergestellte\ Menge} * Abgesetzte\ Menge = \text{Var. HK der abgesetzten Menge A}$$

$$\frac{19.100\ €}{500\ Stück} * 480\ Stück = \mathbf{18.336,00\ €}$$

Zu 3)   <u>Variable Vw. + Vt.Kosten Produkt A:</u>

$$\frac{Variable\ Vw.u.Vt.Kosten}{Gesamte\ HK\ der\ abgesetzen\ Menge} HK\ der\ abgesetzten\ Menge\ A =$$
$$Var.Vw. + Vt.Kosten\ A$$

$$\frac{2.717\ €}{55.467\ €}\ 18.336\ € = \mathbf{898,00\ €}$$

Zu 4)   <u>Unternehmensfixkosten:</u>

$$Fixe\ Vw.u.Vt.Kosten + Fixe\ Materialkosten = Unternehmensfixkosten$$

$$17.556\ € + 2.000\ € = \mathbf{19.566,00\ €}$$

b)   Wie stellt sich die wirtschaftliche Situation des Geschäftsfeldes dar? Was schlagen Sie für die Sortimentspolitik vor?

Langfristig könnte es sinnvoll sein, Produkt D zu eliminieren, da DB IV negativ. Kurzfristig ist das Problem der Abbaubarkeit der Fixkosten von D gegeben.

Es müsste außerdem geprüft werden ob Absatzverbundbeziehungen zwischen den Produkten bestehen.

4.3.3   Shocter & Tramble B

a) Berechnen Sie zunächst die **absolute Preisuntergrenze** je Produktpackung. Stellen Sie anschließend eine **mehrstufige Deckungsbeitragsrechnung** auf und ermitteln Sie so den Betriebserfolg im Januar 2005.

Die mehrstufige Deckungsbeitragsrechnung baut auf der einstufigen Deckungsbeitragsrechnung auf. Wesentlicher Unterschied ist jedoch, dass die Fixkosten nicht als ein Block behandelt werden und am Ende abgezogen werden, sondern in verschiedene Blöcke (bspw. Erzeugnis-, Produktgruppen- und Unternehmensfixkosten) aufgeteilt werden und so in auf mehreren Ebenen verrechnet werden können. Die Erfolgsstruktur einer Firma kann somit besser dargestellt werden.

Im ersten Aufgabenteil sollen wir die absolute Preisuntergrenze ermitteln. Hierzu müssen wir die variablen Selbstkosten berechnen.

S&T	Haushaltswaschmittel		Klinik-Waschmittel		
			Mediwash	Mediwash	
Produkte	Superwash	Ecowash	classic	extra	
Fertigungslöhne	2,50 €	2,50 €	0,75 €	0,75 €	(Kosten/Herstellmenge)
Fertigungsmaterial	1,40 €	1,60 €	0,85 €	1,00 €	(Kosten/Herstellmenge)
variable Gemeinkosten	1,10 €	1,40 €	0,60 €	0,85 €	(Kosten/Herstellmenge)
= variable HK	**5,00 €**	**5,50 €**	**2,20 €**	**2,60 €**	
Provision	2,00 €	2,05 €	2,00 €	1,50 €	(Absatzbezogen!)
= variable Selbstkosten	**7,00 €**	**7,55 €**	**4,20 €**	**4,10 €**	

Anschließend führen wir die mehrstufige Deckungsbeitragsrechnung durch:

S&T	Haushaltswaschmittel		Klinik-Waschmittel	
Produkte	Superwash	Ecowash	Mediwash classic	Mediwash extra
Umsatz	44.000 €	46.800 €	15.600 €	18.000 €
- Provision	11.000 €	8.000 €	5.200 €	3.000 €
= Nettoerlös	33.000 €	38.800 €	10.400 €	15.000 €
- var. HK*Absatzmenge	27.500 €	21.450 €	5.720 €	5.200 €
= DB I	**5.500 €**	**17.350 €**	**4.680 €**	**9.800 €**
-produktfixe Kosten	10.000 €	4.000 €	3.500 €	2.800 €
= DB II	**- 4.500 €**	**13.350 €**	**1.180 €**	**7.000 €**
Summe DB II		8.850 €		8.180 €
- produktgruppenfixe K.		5.500 €		3.400 €
= DB III	**3.350 €**		**4.780 €**	
Summe DB III				8.130 €
- Unternehmensfixe K.				8.000 €
= DB IV = BE				**130 €**

b) Die Ergebnisse des Monats Januar sind doch eher bescheiden und es zeichnet sich in den ersten Tagen des Februars bereits ein noch weiter zurückgehender Absatz ab; die Produktion ist derzeit nicht voll ausgelastet. Da kommt eine Anfrage des Filialisten Friedl & Weiss gerade recht. Das Einzelhandelsunternehmen würde 1.000 Packungen Superwash direkt ab Werk kaufen. Es ist jedoch nur bereit 7 € je Packung zu bezahlen. *Dextra* ist sich nicht sicher, ob sich das Geschäft lohnen würde. Helfen Sie ihr.

Die absolute Preisuntergrenze von Superwash beträgt 7 €. Daher wäre der Auftrag nicht lohnend, da db = 0. Allerdings gilt diese Preisuntergrenze für den Januar unter Einschluss der Provision! Für diesen Zusatzauftrag fällt aber erkennbar keine Provision an, also ist die Preisuntergrenze 7 € - 2 € = 5 €. Wir bekommen für jedes verkaufte Gut einen Stückdeckungsbeitrag in Höhe von 2 €.

Das Geschäft lohnt sich und sollte durchgeführt werden.

5 Plankostenrechnung und Abweichungsanalyse

5.1 Prost Ziegel GmbH & Co. KG A

a) Stellen Sie die **Kostenfunktion** der Anlage in Abhängigkeit der Fertigungszeit in Stunden auf. Ermitteln Sie die Plankosten bei Vollbeschäftigung.

Die Kostenfunktion eines Unternehmens stellt sich in ihrer allgemeinen Form folgendermaßen dar:

$$Kosten = fixe\ Kosten + variable\ Kosten * X$$

Für die Berechnung der Kostenfunktion des Unternehmens „Prost Ziegel GmbH & Co. KG A" müssen wir nun die einzelnen Bestandteile der Kostenfunktion berechnen. Wir berechnen zunächst die fixen Kosten:

Berechnung Fixe Kosten:				
		Anschaffungswert	Nutzungsdauer	Wert
Abschreibung		500.000,00 €	5 Jahre	100.000,00 €
		Anschaffungswert	Wartungssatz	
Wartung		500.000,00 €	20%	100.000,00 €
			Summe fixe Kosten	**200.000,00 €**

Zur Vervollständigung der Kostenfunktion ermitteln wir in einem zweiten Schritt die variablen Kosten die für eine Arbeitsstunde anfallen:

Berechnung variable Kosten				
		Stromverbrauch	Stromkostensatz	Wert
Strom		500	0,20 €	100 €
Hilfs-/Betriebsstoffe				100 €
		Lohnkosten	Zuschlag	
Arbeitskosten		125 €	25 €	150 €
			Summe var. Kosten	**350 €**

Aus den berechneten Werten können wir nun die Kostenfunktion in Abhängigkeit der Arbeitsstunden darstellen:

$$Kosten = 200.000,00 \text{ } € + 350 \text{ } \frac{€}{h} * Arbeitsstunden$$

Für die Ermittlung der Plankosten bei Vollbeschäftigung muss zuerst die Anzahl der Arbeitsstunden hergeleitet werden:

Fertigungszeit			
Anzahl Schichten	Schichtdauer	Arbeitstage	Gesamtzeit
2	6,25	200	**2500**

Durch Einsetzen in die Kostenfunktion ergibt sich:

$$200.000,00 \text{ } € + 350 \text{ } \frac{€}{h} * 2.500 \text{ } h = \mathbf{1.075.000,00 \text{ } €}$$

b) Führen Sie eine **Abweichungsanalyse** durch.

Bevor wir die Abweichung berechnen und analysieren können, müssen wir noch einige Zwischenschritte machen.

Wir berechnen zunächst die Sollkosten. Dies sind die Kosten die hätten entstehen sollen, wenn sich nur die Beschäftigung ändert:

$$Sollkosten = fixe \text{ } Plankosten + variable \text{ } Plankosten * IstMenge$$

$$900.000,00 \text{ } € = 200.000,00 \text{ } € + 350 \text{ } \frac{€}{h} * 2.000h$$

Anschließend ermitteln wir die verrechneten Plankosten:

$$Verrechnete \text{ } Plankosten = \frac{Plankosten}{Planmenge} * IstMenge$$

$$860.000,00 \text{ } € = \frac{1.075.000,00 \text{ } €}{2.500 \text{ } h} * 2.000 \text{ } h$$

Nun können wir uns der Preisabweichung widmen:

$$Preisabweichung\ Strom = Veränderung\ Preis * IstMenge$$

$$-50.000,00\ € = -0,05\ € * 100.000\ kwh$$

$$Preisabweichung\ Hilfs/Betriebsstoffe = Veränderung\ Preis * IstMenge$$

$$30.000,00\ € = 15\ € * 2.000\ h$$

Somit ergibt sich eine Abweichung von insgesamt -20.000 € durch die veränderten Preise.

Anschließend können wir nun die Verbrauchsabweichung berechnen:

$$Verbrauchsabweichung = IstKosten - Preisabweichung - SollKosten$$

$$-30.000,00\ € = 850.000,00\ € - (-20.000,00€) - 900.000,00\ €$$

Im nächsten Schritt erfolgt die Berechnung der Beschäftigungsabweichung:

$$Beschäftigungsabweichung = Sollkosten - Verrechnete\ Plankosten$$

$$40.000,00\ € = 900.000,00\ € - 860.000,00€$$

Abschließend berechnen wir die Budgetabweichung:

$$Budgetabweichung = Plankosten - Sollkosten$$

$$175.000,00\ € = 1.075.000,00\ € - 900.000,00\ €$$

5.2 Osterwelle Handel

a) In seiner Ausbildung als Automechaniker hat Guido nichts über Abweichungsanalyse gehört. Helfen Sie ihm und berechnen Sie folgende Abweichungen:

- Umsatzabweichung

- Absatzpreisabweichung

- Absatzmengenabweichung, sowie Absatzmix- und Absatzvolumenabweichung

- Deckungsbeitragsbezogene Auswirkungen der o.g. Abweichungen

- Deckungsbeitragsbezogene Auswirkungen, die durch Kostenänderungen bedingt sind.

Eine Abweichungsanalyse ist für die Kontrolle der Wirtschaftlichkeit von Kostenstellen oder ganzen Betriebsbereichen vonnöten. Wir berechnen zunächst die Umsatzabweichung. Die Werte hierzu sind gegeben:

Umsatzabweichung	Istumsatz	Planumsatz	Abw.
	54.750,00 €	51.250,00 €	3.500,00 €

Anschließend berechnen wir die Absatzpreisabweichung. Die Preisdifferenz ergibt sich aufgrund der Unterschiede zwischen Plan-Absatzpreisen und Ist-Absatzpreisen:

	Preisdiff.	Istmenge	Diff.
R	- 1,50 €	3000	- 4.500,00 €
S	0,50 €	3500	1.750,00 €
			- 2.750,00 €

Für die Absatzmengenabweichung ergibt sich anhand der Unterschiede in Plan- und Ist-Absatzvolumen:

	Planpreis	Mengendiff	
R	7,50 €	-500	- 3.750,00 €
S	10,00 €	1000	10.000,00 €
			6.250,00 €

Bei der Absatzmixabweichung berechnen wir zunächst den Anteil der Produkte am Gesamtabsatz bzw. die Unterschiede aus Plan und Ist daraus:

	Istabsatz	Anteil	Planabsatz	Anteil	Diff
A	3000	0,4615	3500	0,5833	-0,1218
B	3500	0,5385	2500	0,4167	0,1218
	6500		6000		

Anschließend berechnen wir die Absatzmixabweichung damit:

	Planpreis	Mixdiff.	Gesamtistmenge	
A	7,50 €	-0,1218	6500	- 5.937,50 €
B	10,00 €	0,1218	6500	7.916,67 €
				1.979,17 €

Mit den berechneten Werten können wir zudem die Absatzvolumenabweichung darstellen:

	Planpreis	Planmix	Diff. Ist/Plan	
A	7,50 €	0,5833	500	2.187,50 €
B	10,00 €	0,4167	500	2.083,33 €
			Gesamtmenge	4.270,83 €

Schließlich können wir noch die Auswirkungen auf die Deckungsbeiträge berechnen:

DB-Absatzmengenabweichung:

	Plan-db	Mengendiff.	
A	4,50 €	-500	- 2.250,00 €
B	7,00 €	1000	7.000,00 €
			4.750,00 €

DB-Absatzmixabweichung:

	Plan-db	Mixdiff.	Gesamtistmenge		
A	4,50 €	-0,1218	6500	-	3.562,50 €
B	7,00 €	0,1218	6500		5.541,67 €
					1.979,17 €

DB-Absatzvolumenabweichung:

	Plan-db	Planmix	Diff. Gesamtmengen	
A	4,50 €	0,5833	500	1.312,50 €
B	7,00 €	0,4167	500	1.458,33 €
				2.770,83 €

DB-Preisabweichung (nur mit Basis der Preisänderung, also mit Plan-var.K.):

	db Diff.	Istmenge		
A	- 1,50 €	3000	-	4.500,00 €
B	0,50 €	3500		1.750,00 €
			-	2.750,00 €

b) In den variablen Kosten der Mütze „S" sind auch Lizenzgebühren je verkauftem Stück enthalten. Sie betrugen im Plan 1,- € je Mütze. Die Ist-Lizenzgebühr war 3,- € je Mütze. Der Lizenzgeber, das Unternehmen freeloader Inc. schlägt Guido vor, statt des bisherigen Lizenzmodells nur noch eine monatlich fixe Lizenzgebühr zu zahlen. Ermitteln Sie für Guido auf der Basis der Istdaten des Monats Juni den Betrag, bei dem die Kosten des bisherigen Lizenzmodells und die fixe Lizenzgebühr gleich sind. Skizzieren Sie kurz die Chancen und Risiken des neuen Lizenzmodells. Welchen Rat geben Sie Guido?

Bisher zahlte Guido Osterwelle einen Betrag in Höhe von 3 € pro Mütze. Bei einer Absatzmenge von 3.500 Stück wäre er bei einem Betrag von 10.500 € indifferent zwischen der Fixgebühr und der Lizenzgebühr pro Stück. Eine Pauschalgebühr stellt für Herrn Osterwelle eine Transformation von variablen Kosten in Fixkosten dar. Dies hat für den Unternehmer einen gewissen Risikocharakter. Chancen bestehen dadurch, dass bei höherer Absatzmenge die Stückkosten sinken. Bei Nachfragerückgang steigen die Stückkosten jedoch. Bei einer unsicheren Absatzprognose ist deshalb eher Vorsicht geboten.

5.3 Edelfeder GmbH B

a) Berechnen Sie für *Lisa* folgende **Abweichungen**:

- Umsatzabweichung
- Absatzpreisabweichung
- Absatzmengenabweichung sowie Absatzmix- und Absatzvolumenabweichung
- Deckungsbeitragsbezogene Auswirkungen der o.g. Abweichungen
- Deckungsbeitragsbezogene Auswirkungen, die durch Kostenänderungen bedingt sind.
- Sonstige Veränderungen, die den Gewinn beeinflussen

Eine Abweichungsanalyse ist für die Kontrolle der Wirtschaftlichkeit von Kostenstellen oder ganzen Betriebsbereichen vonnöten. Wir berechnen zunächst die Umsatzabweichung. Die Werte hierzu sind gegeben:

	Preisdiff.	Istmenge	Diff.
Alpha	1,00 €	3800	3.800,00 €
Beta	- 2,00 €	4000	- 8.000,00 €
			- 4.200,00 €

Für die Absatzmengenabweichung ergibt sich anhand der Unterschiede in Plan- und Ist-Absatzvolumen:

	Planpreis	Mengendiff	
Alpha	11,00 €	-200	- 2.200,00 €
Beta	14,00 €	500	7.000,00 €
			4.800,00 €

Bei der Absatzmixabweichung berechnen wir zunächst den Anteil der Produkte am Gesamtabsatz bzw. die Unterschiede aus Plan und Ist daraus:

	Istabsatz		Planabsatz		Diff
Alpha	3800	0,4872	4000	0,5333	-0,0462
Beta	4000	0,5128	3500	0,4667	0,0462
	7800		7500		

Anschließend berechnen wir die Absatzmixabweichung damit:

	Planpreis	Mixdiff.	Gesamtistmenge	
Alpha	11,00 €	-0,0462	7800	- 3.960,00 €
Beta	14,00 €	0,0462	7800	5.040,00 €
				1.080,00 €

Mit den berechneten Werten können wir zudem die Absatzvolumenabweichung darstellen:

	Planpreis	Planmix	Diff. Ist/Plan	
Alpha	11,00 €	0,5333	300	1.760,00 €
Beta	14,00 €	0,4667	300	1.960,00 €
			(Gesamtmenge!)	3.720,00 €

Schließlich können wir noch die Auswirkungen auf die Deckungsbeiträge berechnen:

DB-Absatzmengenabweichung:

	Plan-db	Mengendiff.	
Alpha	3,50 €	-200	- 700,00 €
Beta	5,00 €	500	2.500,00 €
			1.800,00 €

DB-Absatzmixabweichung:

	Plan-db	Mixdiff.	Gesamtistmenge	
Alpha	3,50 €	-0,0462	7800	- 1.260,00 €
Beta	5,00 €	0,0462	7800	1.800,00 €
				540,00 €

DB-Absatzvolumenabweichung:

	Plan-db	Planmix	Diff. Gesamtmengen	
Alpha	3,50 €	0,5333	300	560,00 €
Beta	5,00 €	0,4667	300	700,00 €
				1.260,00 €

DB-Preisabweichung (nur mit Basis der Preisänderung, also mit Plan-var.K.):

	db Diff.		Istmenge	Abweichung
Alpha		1,00 €	3.800	3.800,00 €
Beta	-	2,00 €	4.000	- 8.000,00 €
				- 4.200,00 €

DB-Kostenänderungen (also Änderungen der variablen Kosten; negativ heißt hier, weniger Kosten, daher günstig):

	Ist-Plan var. Kosten		Istmenge	Abweichung
Alpha		0,50 €	3.800	1.900,00 €
Beta	-	1,00 €	4.000	- 4.000,00 €
			Gesamt	- 2.100,00 €

Fixkostenabweichung:

	Ist	Plan	Delta
Alpha	7.000,00 €	9.000,00 €	- 2.000,00 €
Beta	15.000,00 €	13.300,00 €	1.700,00 €
Sonstige	3.000,00 €	3.000,00 €	- €
		Gesamt	- 300,00 €

b) *Lisa* findet heraus, dass die tatsächlichen Herstell- und Absatzmengen voneinander abweichen. Errechnen Sie für *Lisa* den Wert der **Bestandsveränderungen** auf Basis der Ist-Teilkosten.

Jun 08	Produkt Alpha		Produkt Beta		
	Ist	Plan	Ist	Plan	
Absatzmenge (s.o.)	3.800	4.000	4.000	3.500	[ME]
Herstellmenge	4.000	4.000	3.500	3.500	[ME]

Ihr Chef ist der Meinung, dass *Lisa* in der obigen Ergebnisrechnung unbedingt die Bestandsveränderungen noch einbeziehen müsse. *Lisa* zweifelt daran.

Nehmen Sie dazu Stellung!

	(Bestandsmehrung Alpha)		(Bestandsminderung Beta)	
Bestandsveränderung	200	[Stück]	-500	[Stück]
zu Ist-Teilkosten s.o.	8,00 €	[€/Stück]	8,00 €	[€/Stück]
Wert der Veränderung	**1.600,00 €**		**- 4.000,00 €**	

Die obige Ergebnisrechnung entspricht dem Umsatzkostenverfahren. Dort werden Bestandsveränderungen nicht explizit ausgewiesen. Insoweit stimmt obige Rechnung.

5.4 Cut-Tools GmbH

a) Ermitteln Sie für die Plankalkulation zunächst die **Gemeinkostenzuschläge**. Stellen Sie dann eine **Plan-Auftragskalkulation** für die beiden Aufträge auf. Berechnen Sie dabei den **Angebotspreis** je Auftrag.

Wir starten mit der Berechnung der Zuschlagsätze.

Kostenstellen (Plan Dezember 2006)	Lager	Vormontage	Endmontage	Verwaltung u. Vertrieb	Summe
Gemeinkosten [€/Monat]	25.000 €	50.000 €	30.000 €	51.000 €	156.000 €
Zuschlagsbasis	Einzelkosten	Fertigungs-stunden	Aufträge	Herstellkosten	
	50.000 €	2.000	15	255.000 €	
Zuschlagssatz:	**50,00%**	**25 €**	**2.000 €**	**20,00%**	
	[%]	[€/h]	[€/Auftrag]	[%]	

Mit diesen Zuschlagsätzen kann dann der Auftrag kalkuliert werden.

Plan-Auftragskalkulation	Parameter	Auftrag 1 Wert	Auftrag 2 Wert
Material-Einzelkosten		2.000 €	3.000 €
Material-Gemeinkosten	50,00%	1.000 €	1.500 €
Fertigungs-Einzelkosten		2.250 €	3.500 €
Fertigungs-Gemeinkosten Vorm.	25 €	1.125 €	1.750 €
Fertigungs-Gemeinkosten Endm.		2.000 €	2.000 €
= Herstellkosten		**8.375 €**	**11.750 €**
Verwaltungs-/Vertriebs-GK	20,00%	1.675 €	2.350 €
SEK Vertrieb		- €	500 €
= Selbstkosten		**10.050 €**	**14.600 €**
Gewinnanteil aus Umsatzrendite	10%	1.117 €	1.622 €
= Nettoerlös	①	**11.167 €**	**16.222 €**
zzgl. Ust	16%	1.787 €	2.596 €
= Zahlbetrag nach Skontoabzug	②	**12.953 €**	**18.818 €**
zzgl. Skonto	2%	264 €	384 €
= Rechnungsbetrag brutto	③	**13.218 €**	**19.202 €**
zzgl. Rabatt	5%	696 €	1.011 €
= Angebotspreis	④	**13.913 €**	**20.212 €**

Beispielberechnungen:

Zu 1)   Berechnung Nettoerlös:

$$\frac{Selbstkosten}{1-Umsatzrendite} = Nettoerlös$$

$$\frac{10.050 \, €}{0,9} = \mathbf{11.167 \, €}$$

Zu 2)   Umsatzsteuer:

$$Nettoerlös * (1 + Umsatzsteuersatz) = Zahlbetrag \; nach \; Skonto$$

$$11.167 \, € * 1,16 = \mathbf{12.953 \, €}$$

Zu 3)   Berechnung Rechnungsbetrag brutto:

$$\frac{Zahlbetrag \; nach \; Skontoabzug}{1-Skontosatz} = Rechnungsbetrag \; brutto$$

$$\frac{12.953 \, €}{0,98} = \mathbf{13.218 \, €}$$

Zu 4)   Berechnung Angebotspreis:

$$\frac{Rechnungsbetrag \; brutto}{1-Rabattsatz} = Angebotspreis$$

$$\frac{13.218 \, €}{0,95} = \mathbf{13.913 \, €}$$

Im Rahmen der Auftragskalkulation ist es wichtig die richtige Bezugsgröße zu erkennen. Bspw. wird der Kunde 5 % Rabatt vom Angebotspreis abziehen und nicht vom Rechnungsbetrag brutto.

b) Berechnen Sie Auftrag 1 neu auf der Basis der angegeben Daten (**Nachkalkulation**). Ermitteln Sie die **Abweichung** zum jeweiligen Planwert je Kalkulationszeile und geben Sie je Zeile die **Ursache** für eine ggf. entstandene Abweichung an.

In dieser Aufgabe ist aufgrund der Ist-Daten eine Nachkalkulation mit Abweichungsanalyse zu erstellen.

Nachkalkulation	Parameter	Auftrag 1 Wert	Abweichung Ist - Plan	Ursache
Material-Einzelkosten		2.200 €	200 €	Höhere MEK
Material-Gemeinkosten	50,00%	1.100 €	100 €	Folgeeffekt
Fertigungs-Einzelkosten		2.000 €	- 250 €	Geringerer Stundeneinsatz
Fertigungs-Gemeinkosten Vorm.	25 €	1.000 €	- 125 €	Folgeeffekt
Fertigungs-Gemeinkosten Endm.		2.000 €	- €	
= Herstellkosten		8.300 €	- 75 €	Folgeeffekt
Verwaltungs-/Vertriebs-GK	20,00%	1.660 €	- 15 €	Folgeeffekt
SEK Vertrieb		200 €	200 €	Höhere SEK
= Selbstkosten		10.160 €	110 €	Folgeeffekt
Gewinnanteil aus Umsatzrendite ①	-24,00%	- 1.967 €	- 3.083 €	Geringere Umsatzrendite (rechnerisch)
'= Nettoerlös		8.193 €	- 2.973 €	
zzgl. Ust	19%	1.557 €	- 230 €	Höherer Ust-Satz anzuwenden
= Zahlbetrag nach Skontoabzug		9.750 €	- 3.203 €	
zzgl. Skonto	2,50%	250 €	- 14 €	Höherer Skontosatz gewährt
= Rechnungsbetrag brutto		10.000 €	- 3.218 €	lt. Aufgabe
zzgl. Rabatt	5,03%	530 €	- 166 €	Keine €-Differenz, aber höherer Rabatt gewährt
= Angebotspreis		10.530 €	- 3.383 €	

Zu 1)   Der Gewinn ergibt sich hier aus der Differenz zwischen Nettoerlös und Selbstkosten. Aufgrund der veränderten Ist-Daten erwirtschaftete das Unternehmen eine negative Umsatzrendite

5.5 Kurz&Fein GmbH

a) Berechnen Sie für *Svenja* folgende **Abweichungen**:

- Umsatzabweichung
- Absatzpreisabweichung
- Absatzmengenabweichung sowie Absatzmix- und Absatzvolumen-abweichung
- Deckungsbeitragsbezogene Auswirkungen der o.g. Abweichungen
- Deckungsbeitragsbezogene Auswirkungen, die durch Kostenänderungen bedingt sind.
- Sonstige Veränderungen, die den Gewinn beeinflussen

Eine Abweichungsanalyse ist für die Kontrolle der Wirtschaftlichkeit von Kostenstellen oder ganzen Betriebsbereichen vonnöten. Wir berechnen zunächst die Umsatzabweichung. Die Werte hierzu sind gegeben:

Istumsatz	Planumsatz	Abw.
75.000,00 €	68.500,00 €	6.500,00 €

Anschließend berechnen wir die Absatzpreisabweichung. Die Preisdifferenz ergibt sich aufgrund der Unterschiede zwischen Plan-Absatzpreisen und Ist-Absatzpreisen:

	Preisdiff.	Istmenge	Diff.
P1	- 1,00 €	4000	- 4.000,00 €
P2	- 2,00 €	3500	- 7.000,00 €
			- 11.000,00 €

Für die Absatzmengenabweichung ergibt sich anhand der Unterschiede in Plan- und Ist-Absatzvolumen:

	Planpreis	Mengendiff	
P1	11,00 €	500	5.500,00 €
P2	12,00 €	1000	12.000,00 €
			17.500,00 €

Bei der Absatzmixabweichung berechnen wir zunächst den Anteil der Produkte am Gesamtabsatz bzw. die Unterschiede aus Plan und Ist daraus.

	Istabsatz		Planabsatz		Diff
P1	4000	0,5333	3500	0,5833	-0,0500
P2	3500	0,4667	2500	0,4167	0,0500
	7500		6000		

Anschließend berechnen wir die Absatzmixabweichung damit:

	Planpreis	Mixdiff.	Gesamtistmenge	
P1	11,00 €	-0,0500	7500	- 4.125,00 €
P2	12,00 €	0,0500	7500	4.500,00 €
				375,00 €

Mit den berechneten Werten können wir zudem die Absatzvolumenabweichung darstellen.

	Planpreis	Planmix	Diff. Ist/Plan	
P1	11,00 €	0,5833	1500	9.625,00 €
P2	12,00 €	0,4167	1500	7.500,00 €
				17.125,00 €

Schließlich können wir noch die Auswirkungen auf die Deckungsbeiträge berechnen.

DB-Absatzmengenabweichung:

	Plan-db	Mengendiff.	
P1	3,00 €	500	1.500,00 €
P2	6,00 €	1000	6.000,00 €
			7.500,00 €

DB-Absatzmixabweichung:

	Plan-db	Mixdiff.	Gesamtistmenge	
P1	3,00 €	-0,0500	7500	- 1.125,00 €
P2	6,00 €	0,0500	7500	2.250,00 €
				1.125,00 €

DB-Absatzvolumenabweichung:

	Plan-db	Planmix	Diff. Gesamtmengen	
P1	3,00 €	0,5833	1500	2.625,00 €
P2	6,00 €	0,4167	1500	3.750,00 €
				6.375,00 €

DB-Preisabweichung:

	db Diff.		Istmenge	Abweichung	
P1	-	1,00 €	4.000	-	4.000,00 €
P2	-	2,00 €	3.500	-	7.000,00 €
				-	11.000,00 €

DB-Kostenänderungen (Änderungen der variablen Kosten):

	Ist-Plan var. Kosten		Istmenge	Abweichung
P1	-	0,50 €	4.000	- 2.000,00 €
P2		1,50 €	3.500	5.250,00 €
			Gesamt	3.250,00 €

Schließlich stellen wir noch die Fixkostenabweichung dar:

	Ist	Plan	Delta	
P1	7.500,00 €	8.000,00 €	-	500,00 €
P2	15.000,00 €	12.000,00 €		3.000,00 €
Sonstige	3.000,00 €	3.000,00 €	-	€
		Gesamt	2.500,00 €	

Überleitungsrechnung vom **Plan-** zum Istgewinn:

Plangewinn	**2.500,00 €**			
DB-Preisabweichung		-	11.000,00 €	
DB-Absatzmengenabw.			7.500,00 €	
... davon DB-Absatzvolumenabw.				6.375,00 €
... davon DB-Absatzmixabw.				1.125,00 €
DB-Kostenänderung (var. Kosten)		-	3.250,00 €	
Fixkostenänderung		-	2.500,00 €	
Gesamtänderung		-	9.250,00 €	
Istgewinn	- **6.750,00 €**	q.e.d.		

b) Das Produkt P1 ist eine Schleifscheibe für das Schleifgerät Fett & Schmecker 500. Im Juni 2006 wird überraschend die Produktion des Schleifgeräts eingestellt, da es fortwährend technische Probleme gab. Am Lager sind allerdings noch 1.000 Stück P1, die jetzt als unverkäuflich gelten. Sie wurden im Mai 2006 produziert. Der Eisenwarenhändler *Peter Schlaumeier* bietet an, für die Schleifscheiben insgesamt 8.000 EUR zu zahlen. *Svenja* kommen Zweifel, ob sich das lohnt.

Errechnen Sie für sie die Vollkosten je Stück auf der Basis der Istdaten Mai 2006. Sollte sie das Geschäft <u>ablehnen</u>?

Die variablen Istkosten betragen 7,50 €

Vollkosten je Stück P1:	
variable Istkosten	7,50 €
gesamte Fixkosten P2	7.500,00 €
Gesamte Herstellmenge	5.000
verkauft	4.000
am Lager	1000
var. Kosten gesamt	37.500,00 €
Gesamtkosten	45.000,00 €
pro Stück	9,00 €

Peter Schlaumeier will pro Stück 8,00 € bezahlen. Die Stückerlöse sind somit geringer als die Stückkosten. Da die Herstellkosten jedoch „sunk costs" darstellen und die Waren ansonsten unverkäuflich wären sollte das Angebot angenommen werden.

6 Break-Even-Rechnung

6.1 Le Go Inc.

a) Ermitteln Sie rechnerisch die **Gewinnschwelle** für die Produktgruppe „Plüschtiere"

Bei der Break-Even-Rechnung (Gewinnschwellenrechnung) wird untersucht ab welcher Absatzmenge die Gewinnschwelle eines Unternehmens erreicht wird.

In einem ersten Schritt untersuchen wir die Deckungsbeiträge, welche jedes Produkt zum Gesamtergebnis beitragen. Wir können so auch ablesen, ob überhaupt der Break-Even-Point, also die Gewinnschwelle erreicht wird oder ob das Unternehmen mit der Produktgruppe „Plüschtiere" Verluste einfährt:

Produkt	Absatzpreis je ME	Geplante Absatz-höchstmenge in Stück	Umsatz	variable Stückkosten	Produktartfixe Kosten	Stück-db	Gesamt-DB
A	10 €	10.000 €	100.000 €	6,00 €	10.000 €	4,00 €	**30.000,00 €**
B	11 €	20.000 €	220.000 €	7,00 €	20.000 €	4,00 €	**60.000,00 €**
C	8 €	15.000 €	120.000 €	5,00 €	14.000 €	3,00 €	**31.000,00 €**
D	6 €	20.000 €	120.000 €	3,00 €	25.000 €	3,00 €	**35.000,00 €**
E	10 €	15.000 €	150.000 €	8,00 €	20.000 €	2,00 €	**10.000,00 €**
		Summe	710.000 €		89.000 €		**166.000,00 €**

Wir erkennen, dass das Unternehmen „Le Go Inc" mit der Produktgruppe „Plüschtiere" einen Gesamtdeckungsbeitrag in Höhe von 166.00,00 € erzielt. Für die Frage ob das Unternehmen die Gewinnzone erreicht, müssen wir nun noch die fixen Kosten berechnen und von dem Gesamtdeckungsbeitrag abziehen:

$$Abschreibungen + Verwaltungskosten = Fixe\ Kosten$$

$$50.000,00\ € + 75.000,00\ € = 125.000,00\ €$$

$$Gesamtdeckungsbeitrag - Fixe\ Kosten = Gewinn$$

$$166.000,00\ € - 125.000,00\ € = 41.000,00\ €$$

Das Unternehmen wird somit die Gewinnschwelle auf jeden Fall erreichen. Wir untersuchen nun mit welcher Programmplanung die Gewinnschwelle besonders schnell und besonders langsam erreicht. Hierzu planen wir einmal mit einer besonders optimistischen Absatzprognose und einmal mit einer besonders negativen Absatzprognose:

Optimistische Absatzprognose			
Produkt	Umsatz	kumulierter Umsatz	Kumulierte Kosten*
B	220.000,00 €	220.000,00 €	285.000,00 €
D	120.000,00 €	340.000,00 €	370.000,00 €
C	120.000,00 €	**460.000,00 €**	**459.000,00 €**
A	100.000,00 €	560.000,00 €	529.000,00 €
E	150.000,00 €	710.000,00 €	669.000,00 €
*) kumulierte Kosten beinhalten alle fixen Kosten sowie variable Kosten!			

Pessimistische Absatzprognose			
Produkt	Umsatz	kumuliert	kumulierte Kosten
E	150.000,00 €	150.000,00 €	265.000,00 €
A	100.000,00 €	250.000,00 €	335.000,00 €
C	120.000,00 €	370.000,00 €	424.000,00 €
D	120.000,00 €	490.000,00 €	509.000,00 €
B	220.000,00 €	**710.000,00 €**	**669.000,00 €**
*) kumulierte Kosten beinhalten alle fixen Kosten sowie variable Kosten!			

b) Ermitteln Sie eine deckungsbeitragsmaximale **Belegung** des Containers mit dem Verfahren der engpassbezogenen Reihung. Berechnen Sie auch, welchen **Deckungsbeitrag** das Unternehmen mit solch einem gefüllten Container erzielen würde.

Hinweis: Beginnen Sie bei der Einplanung mit den Mindestmengen je Produkt.

In dieser Aufgabe müssen wir einen relativen Deckungsbeitrag in Abhängigkeit des Raumbedarfs je Produkt berechnen:

Produkt	Raumbedarf je Stück in cm³	db (s.o.)	relativer db	Rangfolge
A	30,00	4,00 €	0,1333 €	1
B	50,00	4,00 €	0,0800 €	3
C	25,00	3,00 €	0,1200 €	2
D	40,00	3,00 €	0,0750 €	4
E	80,00	2,00 €	0,0250 €	5

Da in jedem Container von jedem Produkt eine Mindestmenge in Höhe von 600 Stück vorhanden sein muss, berechnen wir zunächst wie viel Raumbedarf diese Mindestmengen einnehmen. Daraufhin können wir die restliche Raumkapazität möglich gewinnbringend einsetzen (anhand der eben festgelegten Reihenfolge):

Produkt	Mindestmenge	Raumbedarf Mindestmenge
A	600	18.000,00
B	600	30.000,00
C	600	15.000,00
D	600	24.000,00
E	600	48.000,00
	Summe	135.000,00
	verbleibende Kapazität	65.000,00

Wir sollen nun die verbleibende Kapazität möglichst sinnvoll einsetzen:

Zusätzl. Menge	Kapa-bedarf	Restkapa.	Gesamtmenge	DB
600	18.000,00	47.000,00	1.200	4.800,00 €
400	20.000,00	14.500,00	1.000	4.000,00 €
500	12.500,00	34.500,00	1.100	3.300,00 €
150	6.000,00	8.500,00	750	2.250,00 €
106	8.480,00	20,00	706	1.412,00 €
			Summe	15.762,00 €

6.2 Prost Ziegel GmbH & Co. KG B

a) Ermitteln Sie die **Selbstkosten je Tonne** je Produktart zu Vollkosten und zu Teilkosten!

Zu Beginn berechnen wir die fixen und variablen Herstellkosten pro Tonne:

				Fixe HK	27.000,00 €		Variable HK	40.500,00 €
fett = zu berechnen				je [t]	40,00 €		je [t]	50,00 €
Produktart	Plan-Herstell-menge in [t]	ÄZ fixe Kosten	Schlüssel-zahl fixe K.	Fixe Kosten je [t]	ÄZ variable Kosten	Schlüssel-zahl var. K.	Var. Kosten je [t]
"Blaue Pfanne"	120	1,0	120	40,00 €	1,0	120	50,00 €
"Rote Pfanne"	75	2,0	150	80,00 €	1,6	120	80,00 €
Schindel 1	60	3,0	180	120,00 €	2,0	120	100,00 €
Schindel 2	150	1,5	225	60,00 €	3,0	450	150,00 €
		Summe:	675			810	

Anschließend berechnen wir Vertriebskosten pro Tonne und können dann die Selbstkosten pro Tonne ermitteln. Hierbei müssen wir beachten, dass wir für den Vollkostenansatz auch die fixen Kostenbestandteile pro Tonne miteinbeziehen.

				Vertriebskosten:	33.480,00 €		
fett = zu berechnen				je [t]	60,00 €		
Produktart	HK je [t]	Planabsatz-menge in [t]	ÄZ Vertriebs-Kosten	Schlüssel-zahl Vertr.K.	Vertriebs-kosten	Volle SK	Teilkosten SK (ohne fixe)
"Blaue Pfanne"	90,00 €	100	2,0	200	120,00 €	210,00 €	170,00 €
"Rote Pfanne"	160,00 €	75	2,0	150	120,00 €	280,00 €	200,00 €
Schindel 1	220,00 €	40	1,0	40	60,00 €	280,00 €	160,00 €
Schindel 2	210,00 €	120	1,4	168	84,00 €	294,00 €	234,00 €
				558			

b) Ermitteln Sie - aufbauend auf Aufgabe a) - die **Break-Even-Mengen** je Produktart, sowie den entsprechenden Gewinn bzw. Verlust bei den Planabsatzmengen je Produktart. Welche Schlussfolgerung ziehen Sie aus den Resultaten?

Wir können nun anhand der gegebenen Preisen leicht die Deckungsbeiträge pro Stück berechnen:

fett = zu berechnen

Produktart	Preis je [t]	SK var.	db je [t]	Fixkosten	Break-Even-menge	Planabsatz-menge in[t]	Ergebnis:
	(lt. Aufgabe)	(siehe a)		(Herstellmenge X Stückfixk.)	(Fixk./db)		
"Blaue Pfanne"	200,00 €	170,00 €	**30,00 €**	4.800,00 €	**160,00**	100	-1.800,00 €
"Rote Pfanne"	300,00 €	200,00 €	**100,00 €**	6.000,00 €	**60,00**	75	1.500,00 €
Schindel 1	200,00 €	160,00 €	**40,00 €**	7.200,00 €	**180,00**	40	-5.600,00 €
Schindel 2	300,00 €	234,00 €	**66,00 €**	9.000,00 €	**136,36**	120	-1.080,00 €
			Summe:	27.000,00 €			-6.980,00 €

Es wird deutlich, dass drei von vier Produkten Verlustbringer sind. Hier muss nachgesteuert werden. Das Streichen dieser Produkte aus dem Programm ist jedoch der falsche Ansatz. Die Fixkosten sind geschlüsselt und würden auch bei Wegfallen der Produkte anfallen.

6.3 Interfruit AG B

a) Führen Sie eine **mehrfachgestufte Deckungsbeitragsrechnung** durch.

Die mehrstufige Deckungsbeitragsrechnung baut auf der einstufigen Deckungsbeitragsrechnung auf. Wesentlicher Unterschied ist jedoch, dass die Fixkosten nicht als ein Block behandelt werden und am Ende abgezogen werden, sondern in verschiedene Blöcke (bspw. Erzeugnis-, Produktgruppen- und Unternehmensfixkosten) aufgeteilt werden und so in auf mehreren Ebenen verrechnet werden können. Die Erfolgsstruktur einer Firma kann somit besser dargestellt werden.

Unternehmen	Interfruit AG						Summe
Bereich	Säfte		Obst				
Produktgruppe			Stückobst		Mus		
Produkt	Apfelsaft	Orangensaft	Ananas	Pfirsich	Pflaumenmus	Apfelmus	
Umsatz	120.000	140.000	120.000	60.000	40.000	105.000	585.000
abzgl. Rabatt u.ä.	6.000	9.000	2.000	1.000	1.000	3.000	22.000
= Nettoumsatz	114.000	131.000	118.000	59.000	39.000	102.000	563.000
- Materialkosten	21.600	28.000	60.000	33.600	13.000	26.250	182.450
- Löhne	43.200	46.900	7.200	14.000	5.600	5.250	122.150
= DB I	**49.200**	**56.100**	**50.800**	**11.400**	**20.400**	**70.500**	**258.400**
- Produktfixe Kosten	12.300	11.200	45.000	22.400	10.000	28.500	129.400
= DB II	**36.900**	**44.900**	**5.800**	**-11.000**	**10.400**	**42.000**	**129.000**
Summe DB II	81.800		-5.200		52.400		129.000
- Produktgruppenfixe Kosten			4.000		7.400		11.400
= DB III	**81.800**		**-9.200**		**45.000**		**117.600**
Summe DB III	81.800		35.800				117.600
- bereichsfixe Kosten	21.800		24.000				45.800
= DB IV	**60.000**		**11.800**				**71.800**
Summe DB IV	71.800						71.800
- Unternehmensfixkosten	58.000						58.000
= DB V = Gewinn	**13.800**						**13.800**

b) Aufgrund der Ergebnisse schlägt *L. Controlletti* vor, den Bereich **Stückobst** einzustellen. Sein Vorgesetzter zweifelt an der Richtigkeit dieses Vorschlags, da *Controlletti* nur schlechte Noten im Fach Kostenrechnung hatte.

Wie würde sich der **Gewinn kurzfristig** bzw. **langfristig** verändern, wenn dem Vorschlag von *L. Controlletti* gefolgt würde?

Erläutern Sie das Ergebnis!

Auf **kurze Sicht** bleiben die fixen Kosten bestehen. Es wird deutlich, dass das Unternehmen einen hohen Verlust durch die fehlenden Umsätze der Produktgruppe „Stückobst" erzielen würde.

Unternehmen	Interfruit AG						Summe
Bereich	Säfte		Obst				
Produktgruppe			Stückobst		Mus		
Produkt	Apfelsaft	Orangensaft	Ananas	Pfirsich	Pflaumenmus	Apfelmus	
Umsatz	120.000	140.000			40.000	105.000	405.000
abzgl. Rabatt u.ä.	6.000	9.000			1.000	3.000	19.000
= Nettoumsatz	114.000	131.000	0		39.000	102.000	386.000
- Materialkosten	21.600	28.000			13.000	26.250	88.850
- Löhne	43.200	46.900			5.600	5.250	100.950
= DB I	**49.200**	**56.100**	**0**	**0**	**20.400**	**70.500**	**196.200**
- Produktfixe Kosten	12.300	11.200	45.000	22.400	10.000	28.500	129.400
= DB II	**36.900**	**44.900**	**-45.000**	**-22.400**	**10.400**	**42.000**	**66.800**
Summe DB II	81.800		-67.400		52.400		66.800
- Produktgruppenfixe Kosten			4.000		7.400		11.400
= DB III	**81.800**		**-63.400**		**45.000**		**63.400**
Summe DB III	81.800		-18.400				63.400
- bereichsfixe Kosten	21.800		-24.000				-2.200
= DB IV	**60.000**		**-42.400**				**17.600**
Summe DB IV	17.600						17.600
- Unternehmensfixkosten	58.000						58.000
= DB V = Gewinn	**-40.400**						**-40.400**

Auf **lange Sicht** müsste geprüft werden, welche fixen Kosten tatsächlich wegfallen würden.

c) Wie viele Mengeneinheiten müssten verkauft werden, damit bei der in Aufgabe a) genannten Kostenstruktur das Produkt **Pfirsich** wieder lukrativ wäre?

Lösen Sie die Aufgabe rechnerisch.

Ermittlung Break-Even-Punkt für Produkt "Pfirsich"		
Stück-Deckungsbeitrag:		
	Preis je Produkt	3,00 €
	Materialkosten je ME	1,68 €
	Lohnstückkosten	0,70 €
	= db	**0,62 €**
Break-Even-Punkt (Kfix/db)		
	Produktfixe Kosten	22.400,00 €
	BEP	**36.129,03**

7 Programmplanung

7.1 La Chatte Velours S.A.

a) Ermitteln Sie das **gewinnmaximale Sortimentsprogramm** je Filiale mit dem Verfahren der engpassbezogenen Reihung.

In der relativen Deckungsbeitragsrechnung wird der Stückdeckungsbeitrag ins Verhältnis zu einem Engpassfaktor gesetzt. Der relative Deckungsbeitrag kann beispielsweise genutzt werden, um das optimale Sortimentsprogramm bei beschränkten Kapazitäten oder Rohstoffen zu ermitteln.

In einem ersten Schritt berechnen wir zunächst die absoluten Deckungsbeiträge (p-kv) für jedes Produkt in jeder Filiale. Der relative Deckungsbeitrag kann nun folgendermaßen ermittelt werden:

$$\frac{absoluter\ Deckungsbeitrag\ pro\ Produkt\ je\ Filiale}{Raumbedarf\ des\ Produktes}$$

Somit ergibt sich für jede Filiale eine individuelle Rangfolge:

Angebotene Produkte	Stück-DB je Filiale			relativer DB je Filiale			Rangordnung je Filiale		
	Filiale 1	Filiale 2	Filiale 3	Filiale 1	Filiale 2	Filiale 3	Filiale 1	Filiale 2	Filiale 3
A	15,00 €	5,00 €	10,00 €	0,30 €	0,10 €	0,20 €	2	4	1
B	20,00 €	5,00 €	10,00 €	0,20 €	0,05 €	0,10 €	4	5	4
C	5,00 €	5,00 €	5,00 €	0,13 €	0,13 €	0,13 €	5	2	3
D	10,00 €	5,00 €	- €	0,25 €	0,13 €	- €	3	2	5
E	20,00 €	20,00 €	10,00 €	0,40 €	0,40 €	0,20 €	1	1	1

Für Filiale 1 wäre die gewinnmaximale Sortimentspolitik:

Angebotene Produkte	Reihenfolge	Höchstabsatz in einer Filiale	Flächen-bedarf	**Filiale 1** Einplanung Stück	Fläche: Einplanung Fläche	60.000 Restfläche
A	2	100	50	100	5.000	45.000
B	4	200	100	200	20.000	13.000
C	5	400	40	325	13.000	0
D	3	300	40	300	12.000	33.000
E	1	200	50	200	10.000	50.000

Das Unternehmen stellt zu Beginn die Höchstabsatzmenge des Produktes E (200 Stück) in die Regale. Hieraus ergibt sich ein Flächenbedarf von 10.000. Es verbleibt also für die restlichen Produkte ein Flächenbedarf von 50.000. Anschließend wird Produkt eingeplant. Bei einem Flächenbedarf von 5.000 verbleibt für eine Restfläche in Höhe von 45.000. Nun wird Produkt D in die Filiale eingeplant. Bei einem Flächenbedarf von 12.000 ergibt sich eine restliche Fläche von 33.000 für die verbleibenden Produkte. Produkt B benötigt einen Flächenbedarf von 20.000. Es verbleiben 13.000 als Restfläche. Es muss nun geprüft werden, wie viel Stück an Produkt C in der Filiale noch Platz finden.

$$\frac{13.000}{40} = 325 \; Stück$$

Es können also noch 325 Stück von Produkt C in der Filiale 1 angeboten werden.

Für die Filiale 2 ergibt sich analog:

Angebotene Produkte	Reihenfolge	Höchstabsatz in einer Filiale	Flächen-bedarf	**Filiale 2** Einplanung Stück	Fläche: Einplanung Fläche	50.000 Restfläche
A	4	100	50	100	5.000	7.000
B	5	200	100	70	7.000	0
C	2	400	40	400	16.000	12.000
D	2	300	40	300	12.000	28.000
E	1	200	50	200	10.000	40.000

Für Filiale 3:

Angebotene Produkte	Reihenfolge	Höchstabsatz in einer Filiale	Flächen-bedarf	**Filiale 3** Einplanung Stück	Fläche: Einplanung Fläche	40.000 Restfläche
A	1	100	50	100	5.000	35.000
B	4	200	100	90	9.000	0
C	3	400	40	400	16.000	9.000
D	5	300	40	0	0	0
E	1	200	50	200	10.000	25.000

Schließlich können wir noch die Gewinnbeiträge der einzelnen Filialen zum Gesamtgewinn ermitteln. Hierzu multiplizieren die Stückzahlen der jeweils angebotenen Produkte in den Filialen mit den absoluten Deckungsbeiträgen und ziehen anschließend die Fixkosten der Filialen ab:

Angebotene Produkte	Filiale 1			Filiale 2			Filiale 3		
	Stück-DB	Anzahl	DB	Stück-DB	Anzahl	DB	Stück-DB	Anzahl	DB
A	15,00 €	100	1.500,00 €	5,00 €	100	500,00 €	10,00 €	100	1.000,00 €
B	20,00 €	200	4.000,00 €	5,00 €	70	350,00 €	10,00 €	90	900,00 €
C	5,00 €	325	1.625,00 €	5,00 €	400	2.000,00 €	5,00 €	400	2.000,00 €
D	10,00 €	300	3.000,00 €	5,00 €	300	1.500,00 €	- €	0	- €
E	20,00 €	200	4.000,00 €	20,00 €	200	4.000,00 €	10,00 €	200	2.000,00 €
	Summe		14.125,00 €	Summe		8.350,00 €	Summe		5.900,00 €
	abzgl. K fix		5.000,00 €	abzgl. K fix		8.000,00 €	abzgl. K fix		8.000,00 €
	Gewinn		9.125,00 €	Gewinn		350,00 €	Verlust		- 2.100,00 €

7.2 Schentler Ges.m.b.H. D

a) Ermitteln Sie das gewinnmaximale Produktionsprogramm für Juni 2010 mit dem Verfahren der **engpassbezogenen Reihung**.

In der relativen Deckungsbeitragsrechnung wird der Stückdeckungsbeitrag ins Verhältnis zu einem Engpassfaktor gesetzt. Der relative Deckungsbeitrag kann beispielsweise genutzt werden, um das optimale Sortimentsprogramm bei beschränkten Kapazitäten oder Rohstoffen zu ermitteln.

Zunächst muss überprüft werden, ob überhaupt ein Engpass vorliegt. Falls ein Engpass vorliegt muss dieser lokalisiert werden:

Kapazitätsbedarf

Produkt	Fertigungsstelle I	Fertigungsstelle II	Fertigungsstelle III
P1	5600	4800	6400
P2	3000	3000	2000
P3	6000	7200	4800
P4	4000	2000	5000
Summe:	18600	17000	**18200**
verfügbar:	19.000	21.000	15.000

Engpass!

Anschließend können wir die relativen Deckungsbeiträge berechnen und eine engpassorientierte Reihenfolge ermitteln:

Produkt	absoluter db	Zeitbedarf Fert.Stelle III	relativer db	Reihenfolge
P1	16 €	8	2,00 €	3
P2	10 €	2	5,00 €	1
P3	16 €	4	4,00 €	2
P4	8 €	5	1,50 €	4

Anhand der eben festgelegten Reihenfolge kann nun der Gewinn ermittelt werden:

Produkt	Produktions- menge	Bedarf an Fert.stelle III	Restkapa. Fert.stelle III	DB
P2	1.000	2000	13.000	10.000 €
P3	1.200	4800	8.200	19.200 €
P1	800	6400	1.800	12.800 €
P4	360	1800	0	2.700 €
			Summe DB	44.700 €
		abzüglich Fixkosten		25.000 €
			Gewinn:	19.700 €

b) Welche Auswirkung, wenn überhaupt, hat das auf die obige Programmplanung und wie müsste man ggf. das gewinnmaximale Produktionsprogramm berechnen?

Durch die Absenkung der Kapazität in Fertigungsstelle würde ein zweiter Engpass entstehen. Das Verfahren der engpassorientierten Reihung lässt sich bei mehr als einem Engpass nicht mehr korrekt anwenden. Eine grafische Lösung scheidet zudem bei n > 3 Produkten aus.

Daher kann nur ein analytisches Lösungsverfahren für das Optimierungsproblem angewandt werden (bspw. der Simplex-Algorithmus).

7.3   Edelfeder GmbH C

a) Ermitteln Sie das gewinnmaximale Produktionsprogramm mit dem Verfahren der **engpassbezogenen Reihung**.

In der relativen Deckungsbeitragsrechnung wird der Stückdeckungsbeitrag ins Verhältnis zu einem Engpassfaktor gesetzt. Der relative Deckungsbeitrag kann beispielsweise genutzt werden, um das optimale Sortimentsprogramm bei beschränkten Kapazitäten oder Rohstoffen zu ermitteln.

Zunächst muss überprüft werden, ob überhaupt ein Engpass vorliegt. Falls ein Engpass vorliegt muss dieser lokalisiert werden:

Kapazitätsbedarf

Produkt	Fertigungsstelle I	Fertigungsstelle II	Fertigungsstelle III
P1	5600	4800	6400
P2	3000	3000	2000
P3	6000	7200	4800
P4	4000	2000	5000
Summe:	18600	17000	**18200**
verfügbar:	20.000	21.000	15.000

Engpass!

Anschließend können wir die relativen Deckungsbeiträge berechnen und eine engpassorientierte Reihenfolge ermitteln:

Produkt	Stück-DB	Zeitbedarf Fert.Stelle III	engpassor. DB	Reihenfolge
P1	20 €	8	3 €	3
P2	10 €	2	5 €	1
P3	16 €	4	4 €	2
P4	10 €	5	2 €	4

Anhand der eben festgelegten Reihenfolge kann nun der Gewinn ermittelt werden:

227

Produkt	Produktions-menge	Bedarf an Fert.stelle III	Restkapa. Fert.stelle III	DB
P2	1.000	2000	13.000	10.000 €
P3	1.200	4800	8.200	19.200 €
P1	800	6400	1.800	16.000 €
P4	360	1800	0	3.600 €
			Summe DB	48.800 €
		abzüglich Fixkosten		25.000 €
			Gewinn:	23.800 €

b) Das Unternehmen erhält eine Anfrage des mikronesischen Fußballverbandes zur Produktion einer WM-Sonderedition 2012. Jedes Verbandsmitglied soll einen solchen Kugelschreiber (Produkt P5) erhalten. Da der Verbandspräsident aufgrund der vielen verstreuten Inseln von Mikronesien nicht genau weiß, wie viele Mitglieder der Verband eigentlich hat, möchte er gerne ein Angebot über 200 Stück bzw. 500 Stück von P5 erhalten.

Ermitteln Sie für *Lisa* auf der Basis der Ergebnisse von a) die **Preisuntergrenzen** für **P5** sofern das Unternehmen Edelfeder GmbH **200** oder **500** Stück herstellen würde. Jedes Produkt P5 benötigt auf der Fertigungsstelle III vier Minuten und weist Einzelkosten von 25 € auf.

Herstellung Produkt P5			
Einzelkosten		25,00 €	
Fertigungsdauer auf III		4	min
Auftrag 1	Menge	200	
	d.h. Zeitbedarf	800	min

Für den Fall, dass wir 200 Stück von P5 herstellen, würde ein Zeitbedarf von 800 Minuten auf der Fertigungsstelle III entstehen. Es würden somit Anteile von P4 verdrängt werden. Wie wir in Aufgabenteil a) berechnet haben, trägt das Produkt P4 einen relativen Deckungsbeitrag in Höhe von 2 € je Fertigungsminute bei. Für eine Vorteilhaftigkeit müsste das Produkt P5 somit einen relativen Deckungsbeitrag von > 2 € je Fertigungsminute beitragen. Da P5 4 Minuten

Fertigungszeit in der Engpassfertigungsstelle benötigt, müsste der absolute Deckungsbeitrag > 8 € je Stück sein. Die Preisuntergrenze wäre somit 33,01 € je Stück.

Herstellung Produkt P5				
Einzelkosten		25,00 €		
Fertigungsdauer auf III		4	min	
Auftrag 2	Menge	500		
	Zeitbedarf	2000		
Verdränge P4 komplett		3.600 €	für	450 Stück P5
40 Stück P5 benötigen noch		200	Minuten, also	25 P1 werden
wegfallender DB von 25 P1 ist		500 €		verdrängt

Für den Fall, dass wir 500 Stück von P5 herstellen, würde ein Zeitbedarf von 2.000 Minuten auf der Fertigungsstelle III entstehen. Es würden dann komplett P4 und zusätzlich 25 Stück an P1 verdrängt werden. Wie wir in Aufgabenteil a) berechnet haben, trägt das Produkt P4 einen Deckungsbeitrag in Höhe von 3.600 € je Fertigungsminute bei. 25 Stück von P1 tragen einen Deckungsbeitrag von 500 € bei. Die 500 Stück von P5 müssten also insgesamt einen größeren Deckungsbeitrag als 4.100 € beitragen. Somit wären dies pro Stück 8,20 €. Die Preisuntergrenze wäre somit 33,21 € je Stück.

7.4   Geröllsteiner AG A

a) Ermitteln Sie das **gewinnmaximale Produktionsprogramm** mit dem Verfahren der engpassbezogenen Reihung.

In der relativen Deckungsbeitragsrechnung wird der Stückdeckungsbeitrag ins Verhältnis zu einem Engpassfaktor gesetzt. Der relative Deckungsbeitrag kann beispielsweise genutzt werden, um das optimale Sortimentsprogramm bei beschränkten Kapazitäten oder Rohstoffen zu ermitteln.

Zunächst muss überprüft werden, ob überhaupt ein Engpass vorliegt. Falls ein Engpass vorliegt muss dieser lokalisiert werden. Anschließend können wir die relativen Deckungsbeiträge berechnen und eine engpassorientierte Reihenfolge ermitteln:

Produkt	**Stück-DB** [€/Stück]	Max. Prod. menge = max. Absatz	Bedarf Fert.stunden Werkst.1	Werkst. 2	rel.DB auf Werkst. 2	Rang
P1	20,00 €	250	250	1250	4,00 €	4
P2	35,00 €	300	1500	2400	4,38 €	3
P3	30,00 €	400	1200	800	15,00 €	1
P4	30,00 €	150	1500	750	6,00 €	2
		Summe	4450	5200		
			ok	**Engpass!**		
			5000	5000		

Anhand der eben festgelegten Reihenfolge kann nun der Gewinn ermittelt werden:

Produkt	Menge	Kapazität	Restkapazität	DB
P3	400	800	4200	12.000,00 €
P4	150	750	3450	4.500,00 €
P2	300	2400	1050	10.500,00 €
P1	210	1050	0	4.200,00 €
			Summe	31.200,00 €
			- Fixkosten	29.700,00 €
			Gewinn	**1.500,00 €**

Von P1 kann nicht die Höchstabsatzmenge angeboten werden, da Restkapazität nur für 210 Stück reicht.

b) Welchen **Preis** sollte *Barnie* für **P5** verlangen?

Führen Sie dazu mit den obigen Angaben erneut eine Programmplanung durch und ermitteln Sie über diesen Weg welcher Preis für P5 nötig wäre.

Hinweise:

Gehen Sie von der Mindestmenge von 300 Stück P5 aus. Sollten bei Produktionsmengen nicht-ganze Zahlen auftreten, runden Sie diese ab und rechnen dann weiter.

Gehen Sie weiter davon aus, dass Absatzeffekte durch Absatzmixänderungen nicht auftreten und die bisherigen Fixkosten weiter bestehen.

Um einen Gewinn von 2000 zu erzielen, müsste der Deckungsbeitrag gesamt auch um diesen Betrag höher sein. Da die zusätzlichen Fixkosten auch noch mitverdient werden müssen, benötigt Barnie einen um 4.000 € höheren Deckungsbeitrag. P5 verdrängt die weniger lukrativen Produkte, so dass deren DB entfällt und der geforderte DB von P5 noch höher wird!

Zu Beginn berechnen wir welche Produkte von P5 verdrängt werden würden. 300 Stück von P5 nehmen eine Fertigungszeit in Höhe von 1500 Minuten in Anspruch. P1 steuert bei Einstellung 1.050 Minuten bei. Da wir weitere 450 Minuten für die Herstellung von P5 benötigen, stehen für P2 nur noch 1.950 Minuten zur Verfügung. Wir können nun also die optimale Programmplanung festlegen:

Produkt	Menge	Kapa	Restkapa	DB	
P3	400	800	4200	12.000,00 €	
P4	150	750	3450	4.500,00 €	
P2	**243**	1944	1506	8.505,00 €	25005
P5	**300**	1506	6	**8.695,00 €**	Residualgröße
			Summe	**33.700,00 €**	
			- Fixkosten	31.700,00 €	
			Gewinn	2.000,00 €	Vorgabe

Das Produkt P5 muss also einen Deckungsbeitrag in Höhe von 8.695,00 € erzielen. Bei einer Stückzahl von 300 wären dies somit 28,98 € pro Stück. Da die variablen Stückkosten 50 € pro

Stück betragen, müsste das **Produkt** 5 für mindestens 78,98 € auf dem Markt angeboten werden.

7.5 Chronos AG C

a) Ermitteln Sie das **gewinnmaximale Produktionsprogramm** und den sich ergebenden Gesamtgewinn.

In der relativen Deckungsbeitragsrechnung wird der Stückdeckungsbeitrag ins Verhältnis zu einem Engpassfaktor gesetzt. Der relative Deckungsbeitrag kann beispielsweise genutzt werden, um das optimale Sortimentsprogramm bei beschränkten Kapazitäten oder Rohstoffen zu ermitteln.

Zunächst muss überprüft werden, ob überhaupt ein Engpass vorliegt. Falls ein Engpass vorliegt muss dieser lokalisiert werden:

Kapazitätsbedarf

Produkt	Fertigungsstelle I	Fertigungsstelle II	Fertigungsstelle III
A	7000	6000	8000
B	3000	3000	2000
C	5000	6000	4000
D	4000	2000	5000
Summe:	19000	17000	19000
verfügbar:	20.000	21.000	15.000

Engpass!

Anschließend können wir die relativen Deckungsbeiträge berechnen und eine engpassorientierte Reihenfolge ermitteln:

Produkt	Stück-DB	Zeitbedarf Fert.Stelle III	engpassor. DB	Reihenfolge
A	20 €	8	3 €	3
B	10 €	2	5 €	1
C	16 €	4	4 €	2
D	10 €	5	2 €	4

Anhand der eben festgelegten Reihenfolge kann nun der Gewinn ermittelt werden:

233

Produkt	Produktions-menge	Bedarf an Fert.stelle III	Restkapa. Fert.stelle III	DB
B	1.000	2000	13.000	10.000 €
C	1.000	4000	9.000	16.000 €
A	1.000	8000	1.000	20.000 €
D	200	1000	0	2.000 €
			Summe DB	**48.000 €**
		abzüglich Fixkosten		20.000 €
			Gewinn:	**28.000 €**

b) Das Unternehmen erhält das Angebot, ein spezielles Kronrad für eine automatische Armbanduhr zu fertigen. Dieses Kronrad würde einen Stückerlös von 20 € bringen. Das Unternehmen überlegt, ob es dieses Produkt, das nur in der Fertigungsstelle III zu produzieren wäre, fertigen soll. Wie viele Fertigungsstunden darf ein Kronrad maximal verbrauchen, damit ein Kronrad einen Stückdeckungsbeitrag von 5 € erwirtschaftet?

Hinweis: Gehen Sie von den Ergebnissen aus Aufgabe a) aus.

Das Kronrad müsste das Produkt mit dem niedrigsten relativen Deckungsbeitrag, also Produkt D verdrängen. Produkt D hat einen relativen Deckungsbeitrag in Höhe von 2 €. Ein Kronrad soll 5 € Stückdeckungsbeitrag erbringen. Für die Berechnung des maximalen Zeitverbrauchs für ein Kronrad muss auf folgende Rechnung zurückgegriffen werden:

$$\frac{absoluter\ Deckungsbeitrag\ Kronrad}{Fertigungszeit\ Kronrad} > relativer\ Deckungsbeitrag\ Produkt\ D$$

$$\frac{5\ €}{X} > 2€$$

Somit dürfte die maximale Fertigungszeit 2,5 Stunden für ein Kronrad betragen.

7.6   Jura AG

a) Ermitteln Sie das **gewinnmaximale Produktionsprogramm** mittels engpassorientiertem Deckungsbeitrag. Ermitteln Sie den geplanten Gewinn auf dieser Basis.

Ausgangspunkt ist die Gewinnermittlung bei Teilkosten:

$$Umsatz - Variable\ Kosten = Deckungsbeitrag\ (DB)$$

$$Deckungsbeitrag\ (DB) - Fixkosten = Gewinn$$

Schritt 1: Ermittlung der Stückdeckungsbeiträge (Stück-DB) der einzelnen Erzeugnisse.

Produkt	Planpreis	Variable SK je Stück	Stück-DB
	[€/Stück]	[€/Stück]	[€/Stück]
A	200,00 €	180,00 €	20,00 €
B	200,00 €	240,00 €	- 40,00 €
C	300,00 €	180,00 €	120,00 €
D	500,00 €	350,00 €	150,00 €
E	200,00 €	130,00 €	70,00 €

(HK+Verw./Vt.K.!)

Schritt 2: Rangfolge der Einplanung ermitteln (Engpassidentifizierung). Diese richtet sich danach, wie lange ein Erzeugnis eine Maschine belegt und welchen Stück-DB es erzielt.

So wird beispielsweise Maschine Z durch die Erzeugnisse C, D und E belegt, wobei alle drei Erzeugnisse einen positiven Stück-DB aufweisen. Das Erzeugnis mit dem höchsten **relativen Stück-DB** wird je Maschine, d.h. je Engpass, zuerst eingeplant. Im Fall der Maschine Z bedeutet dies, dass das Erzeugnis D zuerst gefertigt, anschließend E, dann C.

$$Relativer\ St\ddot{u}ckdeckungsbeitrag = \frac{St\ddot{u}ckdeckungsbeitrag}{Produktionszeit\ auf\ Maschinen}$$

Produkt	Kapazitätsbedarfe je Maschine			Relative DB je Maschine			Rangfolge der Einplanung		
	X	Y	Z	X	Y	Z	X	Y	Z
A	0	30	0	- €	0,67 €	- €		2	
B	30	10	0	- 1,33 €	- 4,00 €	- €	2	3	
C	0	0	30	- €	- €	4,00 €			3
D	12	10	10	12,50 €	15,00 €	15,00 €	1	1	1
E	0	0	15	- €	- €	4,67 €			2

Schritt 3: Einplanung von Mindestproduktionsmengen (mind. 1000 Stück je Erzeugnis lt. Aufgabe). Die Kapazitätsgrenzen der Maschinen X, Y und Z sind in Stunden gegeben und werden mit 60 multipliziert, um in Minuten dargestellt werden zu können.

Produkt	Produktions-menge [Stück]	Kapazitätsbeanspruchung		
		X	Y	Z
A	1.000	0	30.000	0
B	1.000	30.000	10.000	0
C	1.000	0	0	30.000
D	1.000	12.000	10.000	10.000
E	1.000	0	0	15.000
beanspruchte Kapa [min]		**42.000**	**50.000**	**55.000**
maximale Kapa [min]		*42.000*	*60.000*	*90.000*

Schritt 4: Erhöhung der Produktionsmengen gemäß der Rangfolge aus Schritt 2. Der Hinweis, dass die Maschinen in der Reihenfolge X, Y, Z zu betrachten sind, ist nun zu beachten. Zusätzlich muss beachtet werden, dass die Produktionsmengen je Erzeugnis mindestens 1.000 Stück betragen müssen und maximal der Absatzprognose des Vertriebs entsprechen können.

Maschine X: Bei der Mindestproduktionsmenge von 1.000 je Erzeugnis B und D befindet sich die Maschine X bereits an der Kapazitätsgrenze, daher sind die Produktionsmengen von je 1.000 Stück für B und D final.

Maschine Y: Die Menge von Erzeugnis D (Rang 1) müsste auf das Maximum erhöht werden, allerdings kann aufgrund des Engpasses in Maschine X nicht mehr als 1.000 Stück produziert werden. Erzeugnis B (Rang 3) erzielt einen negativen Stück-DB, daher soll möglichst nur das Minimum produziert werden. Schließlich muss die Menge des Erzeugnisses A erhöht werden

– 10.000 Minuten liegt Maschine Y unter ihrer Kapazitätsgrenze (siehe (21)). In diesen 10.000 Minuten können maximal 333 Stück des Erzeugnisses A produziert werden.

$$\frac{10.000\ Minuten}{30\ Minuten\ je\ Stück} = 333,\bar{3}\ Stück$$

Abgerundet auf 333 können in Summe 1.333 Stück des Erzeugnisses A produziert werden.

Maschine Z: Die Menge von D (Rang 1) kann nicht weiter erhöht werden. Daher soll die Menge des Erzeugnisses E (Rang 2) innerhalb der Restkapazität von

$$90.000\ Minuten - 55.000\ Minuten = 35.000\ Minuten$$

erhöht werden. In diesen 35.000 Minuten können maximal XXXXX Stück des Erzeugnisses A produziert werden.

$$\frac{35.000\ Minuten}{15\ Minuten\ je\ Stück} = 2.333,\bar{3}\ Stück$$

Es müssten also 3.333 Stück von Erzeugnis E in Summe produziert werden (1.000 + 2.333 Stück), aber die Absatzprognose des Vertriebs beträgt lediglich 2.000 Stück für Erzeugnis E. Somit beträgt die Produktionsmenge für E 2.000 Stück, es verbleiben 20.000 Minuten Kapazität auf Maschine Z.

$$35.000\ Minuten - 1.000\ Stück * 15\ Minuten\ je\ Stück = 20.000\ Minuten$$

Diese sollen für Erzeugnis C (Rang 3) Verwendung finden.

$$\frac{20.000\ Minuten}{30\ Minuten\ je\ Stück} = 666,\bar{6}\ Stück$$

Daher beträgt die Produktionsmenge 1.000 Stück + 666 Stück (abgerundet) = 1.666 Stück für Erzeugnis C.

Produkt	Produktions-menge	Kapazitätsbeanspruchung			
	[Stück]	X	Y		Z
A	**1.333**	0	39.990		0
B	1.000	30.000	10.000		0
C	**1.666**	0	0		49.980
D	1.000	12.000	10.000		10.000
E	**2.000**	0	0		30.000
beanspruchte Kapa [min]		42.000	59.990		89.980
verfügbare Kapa [min]		*42.000*	*60.000*		*90.000*

Schritt 5: Ermittlung des geplanten Gewinns auf dieser Basis.

Produkt	Produktions-menge	DB je Produkt
	[Stück]	[€]
A	1.333	26.660,00 €
B	1.000	- 40.000,00 €
C	1.666	199.920,00 €
D	1.000	150.000,00 €
E	2.000	140.000,00 €
	Summe	**476.580,00 €**
	./. K fix	403.280,00 €
	Gewinn:	**73.300,00 €**

7.7 Panther AG A

a) Wie hoch sind die fixen Kosten und der zu erwartende Gewinn nach der **Vollkostenrechnung**?

Wir stellen die Berechnung anhand der Stückbetrachtung auf:

Produkt	variabler Kostenanteil je Stück	damit: fixer Kostenanteil	Stück-kosten	Gewinn je Stück	**Gesamtgewinn**
A	3,00 €	2,00 €	5,00 €	1,90 €	950,00 €
B	4,20 €	1,80 €	6,00 €	2,00 €	1.600,00 €
C	7,00 €	3,00 €	10,00 €	2,00 €	600,00 €
D	6,00 €	6,00 €	12,00 €	1,50 €	750,00 €
					3.900,00 €

b) *Holger* schlägt vor, unter Ausnutzung der bisherigen Kapazitäten nur noch das **gewinnträchtigste Produktionsprogramm** herzustellen. Beachten Sie, dass auf Maschine X nur Produkt A und/oder Produkt C und auf Maschine Y nur Produkt B und/oder Produkt D hergestellt werden können. Wie sieht das neue Produktionsprogramm aus und wie hoch ist der Gewinn?

Wir können die relativen Deckungsbeiträge der Produkte auf den jeweiligen Maschinen berechnen und eine engpassorientierte Reihenfolge ermitteln:

Produkt	Stückerlös	var. Stückkosten	db	Maschine X relativer db	Maschine X Reihenfolge	Maschine Y Relativer db	Maschine Y Reihenfolge
A	6,90 €	3,00 €	3,90 €	1,30 €	1		
C	12,00 €	7,00 €	5,00 €	1,25 €	2		
B	8,00 €	4,20 €	3,80 €			0,95 €	2
D	13,50 €	6,00 €	7,50 €			1,50 €	1

Es ist somit vorteilhaft auf **Maschine** X nur Produkt A und auf Maschine Y nur Produkt D zu produzieren:

A auf X	Kapa/Kapa-Bedarf	DB von A
	900	3.510,00 €
D auf Y	Kapa/Kapa-Bedarf	DB von D
	1140	8.550,00 €
	Summe DB	12.060,00 €
	abzgl. Kfix	6.340,00 €
	= Gewinn neu	**5.720,00 €**